JN081080

THE
TRANSFORMATIONAL
NOTEBOOK
3-month journaling for autonomous language learners

学習意識改革ノート

外国語を自律的に学ぶための
3か月プログラム

加藤聡子・義永美央子

大阪大学出版会

『学習意識改革ノート』を使うにあたっての「誓い」

『学習意識改革ノート』をご利用いただくにあたって、皆さんには誓いを立てていただきたいのです。まず、『学習意識改革ノート』は、あなたの**学習の足跡を残すために「書き込む」ノート**です。必ず、ペンを取り、自分と向き合って書き込んでください。ノートは書いて終わりではありません。「繰り返し見返す」ものです。**このノートは、過去の自分がいる場所、そこから続きを考えられる場所**、なのです。

外国語学習における圧倒的な不利な状況を覆すには、あなたの「意志」が必要です。ダラダラやっていては意味がないのです。このノートは「3か月で完成」するようにつくられています。この3か月、「やる」と決めた方だけ、開始をしてください。

その際には、宣言をしましょう。自分で宣言するだけではなく、誰かに証人になってもらえると、もっと自分を駆り立てることができます。

ぜひ、次のページの宣言書を活用してください。

宣言書

私は、この3か月、本気で『学習意識改革ノート』に取り組み、
8つの法則をマスターし、それらを繰り返し行動に移し、
自分自身の言語学習に新たな可能性を見出すことを、
ここに誓います。

____
signature

　　　　・　　　　・
____
date

Introduction

ノートと共に生きる

発明王のエジソンも、エジソンが憧れたとされるレオナルド・ダ・ヴィンチも、「ノート」を愛用していました。彼らは、**思いついたことをノートに書き、その時の考えを残し、後からノートを見返しては思考を深掘りして「試行錯誤する」という作業**を、何千回も重ねていました。書くことが習慣化されるだけでなく、こうしたアイデアは、読み返すことでより豊かな発想を生んでいきます。そして、だからこそ、自分だけの大切な自己発見のノートとなっていくのです。

『学習意識改革ノート』は、あなたが書き込んでいく、あなただけのノートです。ノートに書き込むだけでなく、何度もノートを開き、読み返すことで、その都度、達成感、気づき、反省、喜び、そして未来へ進む力が湧いてくるはずです。

『学習意識改革ノート』の使い方

このノートは3か月で使い切るように構成されています。このノートでご紹介する31のワークは、Part 1の8つの法則を実行するためにつくられています。ワークは、最初から順番に進めることをおすすめしますが、場合によっては、必要なものから取り組むことも可能です。

学習者が単独でできるワークばかりですが、実施したワークを仲間とシェアすることを、おすすめします。ワークを共有することで、二重の認知が行われるだけでなく、共に学ぶ学習仲間と共感しあう喜びを感じながら、学習を進めていくことで、さらなるモチベーションの向上につながります。

まずは、次ページの表紙にあなたのノートのタイトルを書き入れてください。「エジソン・ノート」のように、ご自身の名前でもOKです。さあ、あなたの学習意識改革の幕開けです！

THE TRANSFORMATIONAL NOTEBOOK

3-month journaling for autonomous language learners

.   .

start date

目次

Introduction

『学習意識改革ノート』を使うにあたっての「誓い」 2

ノートと共に生きる 4

Part 1

学習意識改革プログラム 9

外国語学習を成功に導く8つの法則 10

法則1 12

計画は「立てる前」のプロセスが要!

ワーク1 自分の言語学習の歴史を振り返る 16
ワーク2 最高・最強の自分を呼び起こす 19
ワーク3 過去に感謝状を送る 20

法則2 21

未来を描くクセをつける

ワーク4 人生で実現したいこと 24
ワーク5 今後10年を妄想する 26
ワーク6 ヴィジョンボード 28
ワーク7 妄想と現実をつなげる 30

法則5 66

やる気を味方にする

ワーク20 私のやる気の源 69
ワーク21 ほめほめ日記をつける 70
ワーク22 最高・最強の自分にアドバイスをもらう 71
ワーク23 発想・視点の転換をする 72
ワーク24 自然と学習できる環境を整える 74

法則6 75

学習の軌跡を記録する

法則3　32

計画は自分に
わがままでいい

ワーク8　If-thenプランニング──計画を実行するための仕組みをつくる　35
ワーク9　妨げ・障壁を乗り越える疑似体験をする　36

法則4　37

自分の「今」に
とことん向き合う

ワーク10　現状の把握　44
ワーク11　学習全体の振り返り──言語学習の輪　46
ワーク12　残り時間を計算する　48
ワーク13　自分の時間の使い方を把握する　49
ワーク14　自分の学習スタイルを把握する　52
ワーク15　いろいろな学習ストラテジーを知る　56
ワーク16　学習リソース──何を使って学習するか　60
ワーク17　学習言語に触れる環境を整える　61
ワーク18　目標設定ピラミッドで全体像をつかむ　62
ワーク19　アクションプランをつくる　64

法則7　78

ウェルビーイング
（well-being）を意識する

ワーク25　学習者ウェルビーイングを測定する　82
ワーク26　学習者ウェルビーイングの測定結果を分析する　87
ワーク27　ボディスキャニング　91
ワーク28　アンガーコントロール　92

法則8　94

「振り返る力」を
鍛える

ワーク29　再調整をする　98
ワーク30　未来の自分に手紙を書く　99
ワーク31　自分への質問──リフレクティブ・クエスチョン　100

Part 2
スケジュール帳 103

スケジュール帳の活用方法 104

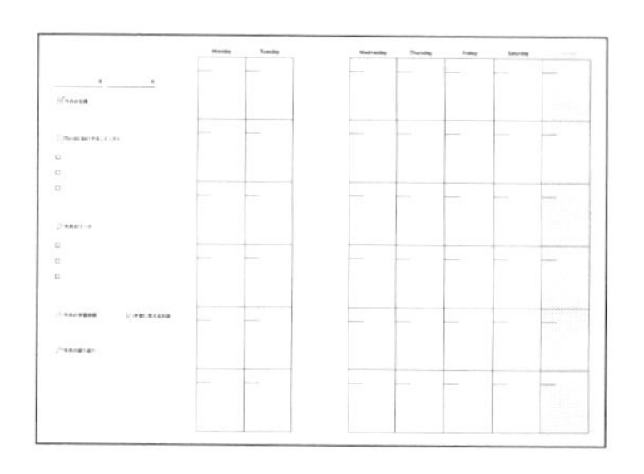
月間カレンダー

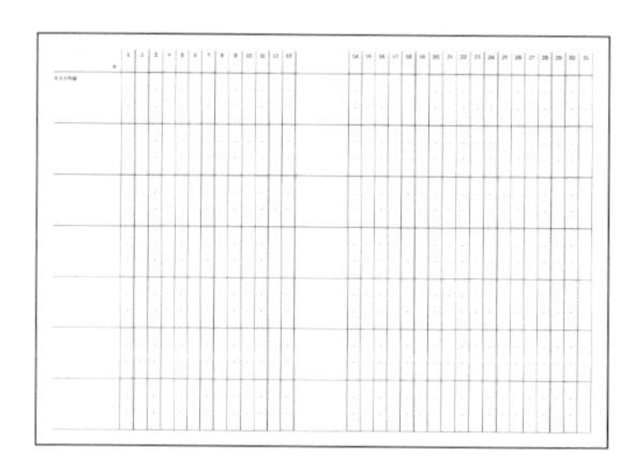
タスクカレンダー

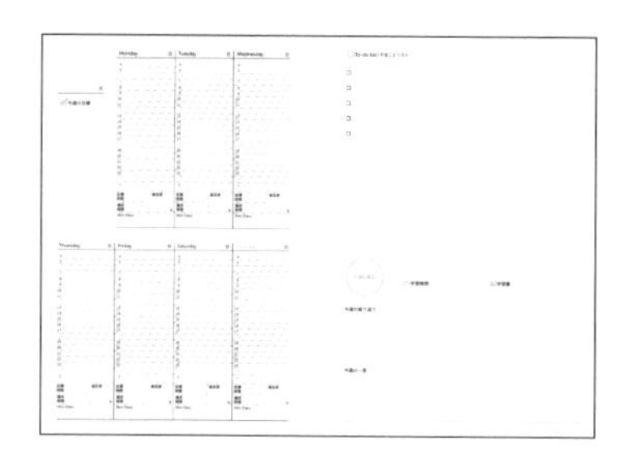
週間スケジュール

3か月を振り返って 154

参考文献 157
おわりに 159

Part 1

学習意識改革プログラム

外国語学習を成功に導く8つの法則

外国語学習がうまくいかない理由

どれだけのお金、時間、情熱をかけても、外国語学習ほど「成果が出ない」と感じるものはないかもしれません。日本人の英語学習を例にあげると、残念ながら日本人の英語力は、世界においても、アジアにおいても、かなり低いランクとなっています。もっと残念なことに、この順位は年々下がっているのです。

なぜ、このような現象が起きるのでしょう。日本の対極にある、英語力が上位の国には、オランダ、オーストリア、デンマーク、シンガポール、ドイツ、南アフリカなどがあります。これらの国に共通しているのは、英語が公用語であるか、幼少期から英語教育に国を挙げて力を入れていることがあげられます。つまり、学校教育や日常生活で学習言語に触れる時間が長いことが、決め手なのです。一方、日本では、英語ができなくても不便がない生活が送れます。日常生活を送るためにも、情報を得るためにも、日本語さえあればいいのです。つまり、学習言語が体得できなくても困らない環境にあるのです。

どんな言語を学ぶ場合も、環境は学習に大きな影響を与えます。しかし、個人の力でこうした環境を変えることは、なかなかできません。そうすると、「外国語をマスターなんてできない！」という結論になってしまいます。しかし、学習にある「意図的な介入」をすることによって、この環境は覆せるのです。

圧倒的な不利を覆す「意図的な介入」――8つの法則

外国語学習を成功させるには、「欠かせない要素」が必ずあり、「外せないパターン」があります。それを身につけるだけで、外国語学習の成果には各段の差が生まれるのです。

心理学の分野では、ポジティブな変化を起こすための介入をPositive

Psychology Intervention（PPI）と言います。『学習意識改革ノート』では、環境や時間において「圧倒的な不利」な状況にある方々に向け、外国語学習における意図的な介入を、「8つの法則」を通して実践していきます。

法則1

計画は「立てる前」の
プロセスが要！

法則2

未来を描く
クセをつける

法則3

計画は自分に
わがままでいい

法則4

自分の「今」に
とことん向き合う

法則5

やる気を
味方にする

法則6

学習の軌跡を
記録する

法則7

ウェルビーイング
（well-being）を意識する

法則8

「振り返る力」を
鍛える

「こんな法則、どれも知っている」と思うかもしれません。そして、それこそがポイントなのです。言語学習でつまずく原因は、「1つに集約される」と言っても過言ではありません。それは、当たり前にやるべきことが「行動に結びつかない」ことにあるのです。『学習意識改革ノート』は、3か月間、31のワークを通して、徹底的に上記の8つの法則に沿った行動を起こすために、あなたが自分の学習意識を改革するためにつくり上げるノートなのです。

法則 1

計画は「立てる前」のプロセスが要！

なぜ、計画を立ててもうまくいかない？

学習するにあたって、多くの人は、まず「計画」を立てようとします。達成したい目標を設定し、具体的な数値目標を立て、ハードルが高すぎず、低すぎず、小さな成功を積み重ねることができるような計画を立てます。これは、いわゆる王道の計画の立て方です。皆さんもこうした計画を立てた経験があるだろうと思います。しかし、同じくらい、計画は立てたものの、学習がうまくいかずに終わる経験もしていることでしょう。

では、なぜ、多くの計画はうまくいかずに終わるのでしょうか。

それは、**計画を「立てる前」の肝心なプロセスを抜かしてしまっている**からです。このプロセスを踏む、踏まないでは、計画を遂行するにあたり、大きな差が出てくるのです。法則1では、この計画を立てる前のプロセスについてご紹介します。

「未来」ではなく「過去」から始める

計画を立てるとなると、まずは「未来」を描き、なりたい自分や、達成したいことを想像し、そして、その未来と現状のギャップを客観的に分析し、行動計画をつくる。多くの学習者はこうした計画の立て方をしています。しかし、**計画は、未来からではなく、「過去」に焦点を当てて始める**ことをおすすめします。

「過去は変えられないから振り返っても仕方がない。でも、未来は変えられるのだから未来から考えたい」、と思う人もいるかもしれません。しかし、実は逆なのです。「**過去は変えられても、未来は変えられない**」のです。

過去とは、私達のその時の物事や自分自身に対する「認知」の集合体です。例えば、英語学習に大きな挫折を経験した人は、その経験から、いきなり自分が英語学習で成功している姿を描くことはなかなかできません。それは過去の経験やその時の感情が、そうした未来を描くことを阻むからです。そんな気持ちでいくら計画を立てても、計画を見ただけで、気持ちが落ち込んでしまうのです。こんな計画はつくっても続きません。逆に、明るい未来を描くには、過去を明るい気持ちで認知することが重要なのです。

つまり、**自分自身の過去の認知の仕方を変えることが、計画を立てる第一歩**なのです。

自分のこれまでを振り返る

未来を描く前に、過去の自分を振り返る際、闇雲に振り返ることはおすすめしません。正しい振り返り方をしないと、つらい過去のつらさだけが増してしまい、よけいに落ち込むということになりかねないからです。ポイントは、自分の過去を新たな視点で消化し、受け止め、過去に感謝をすることです。しかし、これは、容易なことではありません。

そこで、『学習意識改革ノート』では、皆さんの振り返りをサポートするワークをご用意しました。それぞれのワークの詳細は各ページをご覧ください。

ワーク1　自分の言語学習の歴史を振り返る · pp. 16–18

これまでのあなたの言語学習の歴史をモチベーションという切り口で振り返ってみましょう。自分の言語学習の歴史から、何が見えるでしょう。

ワーク2　最高・最強の自分を呼び起こす · p. 19

これまでの人生で一番、イキイキとしていた「最高・最強の自分」をできるだけ詳細に、五感を使って、あたかもその瞬間を再び体験しているかのようなレベルで、思い起こすワークです。このワークを通して、「最高・最強の自分」を必要な時に呼び出す練習をしていきます。このプロセスを踏むことで、きっと皆さんの中で変化が起きているはずです。最高・最強の自分を呼び起こすことで、気持ちがイキイキするだけでなく、鼓動が高まったり、体温が高くなる自分を感じていることでしょう。

もし、過去に挫折の経験があったり、明るい未来を妨げる過去の感情がある人は、この「自分の言語学習の歴史を振り返る」のワークで、過去の自分ともう一度、向き合ってみましょう。そして、「最高・最強の自分」が与える別の解釈で、自分の過去を受け止めてみてください。きっと、自分の過去に新たな意味や価値を与えることができるはずです。

過去に感謝状を送る

ここまで、未来を描くために、過去の自分を振り返ってきました。ここでもう一押しです。最高・最強の自分を手に入れたみなさんになら、できるはずです。それは、過去に感謝状を送る ことです。自分の過去を表彰するような気持ちで、ぜひ、書いてみてください。そして、胸を張って、その感謝状を過去の自分に受け取ってもらいましょう!

ワーク3　過去に感謝状を送る →p. 20

過去の自分の努力、支えてくれた人たち、環境、運。どんなことでもいいのです。これまで歩んできた道にしっかりとお礼を言うためのワークです。

さあ、これで「計画を立てる前」のプロセスを踏みました。今の皆さんが描く未来、そして立てる計画は、きっとその計画を見るだけでイキイキした自分が見えるはずです。

これらのワークをしてから実際に計画を立てるまでに時間が空いてしまう場合は、ワーク2で考えた最高・最強の自分のタイトルを3回唱えて、その瞬間を呼び起こしてから、計画を立ててみましょう。

決して、モチベーションを上げて、盛りだくさんの非現実的な計画を立てるという意味ではありません。これは、あくまでも明るい気持ちで、力強いエネルギーで計画を立てるための仕組みづくりなのです。そしてこれこそが、計画を立てるための土台なのです。

*計画の具体的な立て方に関しては、法則3「計画は自分にわがままでいい」やワーク18「目標設定ピラミッドで全体像をつかむ」、ワーク19「アクションプランをつくる」などを参照しましょう。

POINT

法則1　計画は「立てる前」のプロセスが要！

- 計画は「未来」ではなく「過去」から始める
- 「過去」は「認知」の集合体でしかない
- 「過去」を明るく見ることができない限り、
明るい「未来」は見えない
- 明るい気持ちで書けない計画は、
見てもワクワクしないし続かない
- 「過去」を正しく振り返る方法を学ぼう
- 最高・最強の自分を呼び起こす仕組みをつくろう
- 過去に感謝状を送って、過去の自分を表彰しよう
- 過去を受け止めた自分が描く「未来」こそが、
計画の土台となる

ワーク1　自分の言語学習の歴史を振り返る

高

モチベーション

低

TASK 1

これまでのあなたの言語学習の歴史をモチベーションという切り口で振り返ってみましょう。縦軸はモチベーション、横軸は時間（西暦や年齢）です。グラフに沿ってあなたのモチベーションの起伏を描いてみましょう。それぞれの変動するポイントにコメントもつけてください。

西暦または年齢

TASK 2

描いた「自分の歴史」を眺めてください。そこから思い浮かぶ言葉やフレーズがあったら書き留めてください。

例:デコボコの学習の歴史が語る私の葛藤

TASK 3

モチベーショングラフから、あなたの言語学習の歴史について、どんなことが見えてきましたか? モチベーションが上がる時、下がる時に、何か共通するパターンはありますか?

例:環境が変わるとモチベーションも変化する

TASK 4

「自分史」から見えてくる、あなたが大切にしている価値観はなんでしょう?

例:人とつながることが学びの喜び

私が大切にする価値観は:

ワーク2　最高・最強の自分を呼び起こす

TASK 1

これまでの人生で「最高・最強」だった時の自分を思い出してください。最近の出来事でも、子供時代の出来事でも構いません。できる限り、五感を使ってその瞬間を思い出してください。

その瞬間、何を感じましたか？

あなたはその瞬間、何を考え、何を言っていましたか？

どんな景色が見え、何が聞こえましたか？　匂い、感触、温度。
思い出せる限り、思い出してみましょう。

その瞬間が詳細まで思い出せたら、そのイメージを「3倍」強く思い浮かべましょう。

TASK 2

では、その最高・最強の自分に、タイトルをつけてください。
例：笑顔の架け橋／限界突破隊長

“　　”

TASK 3

そのタイトルを見るだけで、その当時のその瞬間を思い出せるように、言葉と頭の中の映像・感情を何度もリンクしてみましょう。

ワーク3　過去に感謝状を送る

ワーク1と2では、過去を探ることで、あなたがあなた自身をより理解するためのワークを行ってきました。今、そして未来を新たな気持ちで迎えるために、過去に感謝状を書きましょう。

過去の自分の努力、支えてくれた人たち、環境、運。どんなことでもよいです。これまで歩んできた道のりにしっかりとお礼を言いましょう。

例：あなたは何度も試験に落ちたにもかかわらず、それでも英語に対する情熱を失うことなく、まともに悔しがり、落ち込み、それでもしぶとく英語をあきらめずに学習しようとしてきました。その一級品のしぶとさを培ってくれたこれまでの数々の失敗、そしてその永年の実績を高く評価し、ここに私の過去へ感謝状を送ります。

法則
2

未来を描くクセをつける

「最高・最強の人生」をイメージする

法則1を学んだあなたは、自分のこれまでを振り返り、「最高・最強の自分」をイメージしていることでしょう。では、その「最高・最強の自分」は、人生でどんなことを経験し、成し遂げているでしょうか。以下のワークを通して、あなたの「最高・最強の人生」をイメージしてください。

ワーク4　人生で実現したいこと · pp. 24–25

これからの人生で実現したいこと、やってみたいことを思いつくままに書き出すワークです。すぐに実現可能な簡単なことでも、一生をかけて取り組む夢のようなものでもかまいません。また、1つ1つに関連性がなくてもかまいません。「こんなこと本当にできるかな?」といった不安は、脇に置いておきましょう。まずはブレインストーミングのように、自由に「叶えたいこと」を書き出し、それが叶った時あなたはどんな気持ちになっているか、想像力をフルに使って疑似体験してみましょう。

ワーク5　今後10年を妄想する · pp. 26–27

ワーク4で書き出したことを踏まえて、これからどんな10年を送ってみたいかという10年プランをつくるワークです。理想のロールモデルも探しましょう。これは、あなたの願望・妄想プランです。思いっきり自由に書いてみましょう!

ワーク4，5で「叶えたいこと」を書き出す時には、「〜したい」という願望の形ではなく、「〜する」のように言い切りの形を使いましょう。そうすることで、**漠然とした願いが少しずつ意志を伴う行動に変わっていく**はずです。

最高・最強の人生を「見える化」する

「楽しい人生を送りたい」「幸せになりたい」と思う気持ちは、皆が共通して持っているものでしょう。しかし、何を楽しいと感じるか、何を幸せと感じるかは、1人ひとり異なります。**あなたが考える「楽しい人生」「幸せな未来」はどんなものかのイメージを明確にする**ことが、それを実現するための大事な一歩になります。

もう1つ大事なことは、その**イメージを常に意識できるような状況をつくっておく**ことです。毎日の生活が自分の輝く未来につながることを忘れないように、あなたなりの最高・最強の人生を可視化していきましょう。ワーク6で作成するヴィジョンボードは、部屋に飾っておく、スマートフォンの待ち受け画面にするなどして、いつも見られる状態にしておくことをおすすめします。

ワーク6　ヴィジョンボード →pp. 28–29

ヴィジョンボードは、見ただけでワクワクするような写真や絵を貼って、実現したいことを映し出すためのツールです。格言や好きな言葉を書くのもOK。ヴィジョンボードをつくると目標達成に効果があると言われ、ヴィジョンボードを定期的に見返すことで、潜在意識に鮮明なイメージを送り込むことができます。

「最強・最高の人生」と今をつなげる

日々の仕事ややることに追われていると、それをこなすだけで時間が過ぎてしまいがちですが、私たちの人生を形づくるのは毎日の行動にほかなりません。どこか遠いところに「素晴らしい人生」が待っているのではなく、**一日一日の蓄積が私たちの人生を織り上げていく**のです。以下のワークで、まずは「最高・最強の人生」と「今」を関連付けましょう。

ワーク7-1　妄想実現アクション →p. 30

今あなたがやっている毎日の行動のうち、「人生で実現したいこと」や

「願望・妄想プラン」の実現につながりそうなものがあるのかを関連付けるワーク。特に、言語学習が「最高・最強の人生の実現」にどのように関連するかを意識してみましょう。

「最強・最高の自分」と言語学習をつなげる

今このノートを開いているあなたは、何かの言語をもっと使えるようになりたい、勉強したい、と思っているはずです。今あなたが「もっと学びたい言語」は、あなたの「最強・最高の人生」とどのように関連付けられるでしょうか。

ワーク7-2　○○語が（もっと）できるようになった私 →p. 31

これから学習しようとしている言語を「（もっと）できるようになった自分」を想像するワーク。短い現在形の文章で具体的に書いていきます。

これまでのワークを通じて、あなたにとっての「最高・最強の人生」が少しずつイメージでき始めたかもしれません。「最高・最強の人生」を生きる「最高・最強の自分」——それを考えた時のワクワクした気持ちを胸に刻んで、次のワークに進みましょう！

法則2　未来を描くクセをつける

- 「最高・最強の人生」を具体的にイメージする
- 「最高・最強の人生」の定義は1人ひとり違う
- 「最高・最強の人生」と言語学習をつなげる
- 「最高・最強の人生」は日々の生活の中にある

ワーク4　人生で実現したいこと

十分な時間があり、お金があり、能力があり、運があり、勇気があり、「あなたが願うことがすべて叶う」と保証されていたら、どんなことを人生で実現したいですか？

仕事・キャリア・学業

例：夢中になれる仕事に就く / 資格を取る / 成績（評価）でA+を取る / 修士号を取る

物理的な環境（住居、働く場所など）

例：郊外にマンションを買う / 自分の趣味の空間をつくる / 自然に囲まれた場所で働く

人間関係（家族、パートナー、友人など）

例：日頃の感謝を言葉にして伝える / 人生の伴侶に出会う / 小学校時代の旧友と同窓会

学び・自己成長

例：月に3冊は本を読む / セミナーに参加する / 習い事をはじめる

健康・美容

例：野菜中心の生活にする / 健康診断の悪玉コレステロール値を下げる / 5歳若返ったような肌を手に入れる

お金

例：留学資金をためる / 自分の自由になるお金が月3万円になるようにする

時間

例：朝食をゆっくりと取る時間を確保 / 夜更かしをせず7時間は寝る / 通勤・通学時間を楽しむ

遊び・レジャー

例：イタリアに2週間旅行に行く / スカイダイビングをする / 月に1回自分にご褒美を与える

ワーク5　今後10年を妄想する

こんな10年を送ってみたという10年プランをつくりましょう。これは、あなたの願望・妄想プランです。思いっきり自由に書いてみましょう。

暦年						
年ごとのテーマ						
年齢	自分と重要な他者の名前					
ライフイベント	言語学習					
	仕事・キャリア・学業					
	物理的な環境					
	健康・美容					
	お金					
	時間					
	人間関係					
	学び・自己成長					
	遊び・レジャー					
	その他					
この10年のテーマ						

ロールモデルを探そう――10年後、この人みたいになりたい!

人物名

スゴイと思うところ

その人の名言・言葉

ワーク6　ヴィジョンボード

見ただけでワクワクするような写真や絵を貼って、実現したいことを映し出すヴィジョンボードをつくりましょう。そしてヴィジョンボードにタイトルをつけましょう。

Title

ワーク7　妄想と現実をつなげる

TASK 1　妄想実現アクション

今あなたがやっている毎日の行動のうち、ワーク4, 5で書き出した「人生で実現したいこと」や「願望・妄想プラン」の実現につながりそうなものはありますか？

今はできていないけれど、こんなことをしたらいいな、と思うことがあれば、それも書き出してください。特に、言語学習があなたの「最高・最強の人生の実現」にどのように関連するかを意識して考えてみましょう。

例：3年後に世界一周の旅に出る→毎晩ネットサーフィンをする時に、行きたい場所や食べたいものをチェックする／毎月貯金をする／英語の勉強をする

TASK 2 ○○語が（もっと）できるようになった私

これから学習しようとしている言語を「（もっと）できるようになった自分」を想像してみてください。

あなたは、どこにいますか？　誰と、何をしていますか？
どんな気持ちですか？

短い現在形の文章で具体的に書いてみましょう。

例1：私は今、世界中を旅している。本でしか知らなかった街の音や匂いを感じ、地元の食事を食べ、素晴らしい風景の数々を目に焼き付けている。色々な人と語り、美術館や博物館を訪れ、その土地の今につながる歴史を感じる。とても豊かな気持ちで、次に訪れる出会いを楽しみにしている。

例2：私は今、留学している。いくつかの授業に出て、世界中からやってきた学生たちと交流し、そこで考えたことをまとめ、ブログや動画で発信している。放課後には図書館で資料を読んだり、翌日の授業の予習をしたりする。週末には小旅行をしたり、友達とカフェでゆっくりお茶を飲んだりする。一見単調に見えるけれど、私にとっては発見の連続、冒険の毎日だ。

法則
3

計画は自分に わがままでいい

「最高・最強の人生」を生きるための計画を立てる

法則1と法則2では、「最高・最強の人生」「最高・最強の自分」をイメージし、それが言語学習とどのように関連付けられるかを考えてきました。法則3では具体的な計画をつくる準備として、3つのポイントをご紹介します。

「計画」と聞くと、どのような印象を持つでしょうか。「大事なのはわかるけれど、立てるのが面倒」「せっかく立ててもその通りにできた試しがなくて、あまりいい思い出がない」…のように、少しネガティブな印象を持っている人がいるかもしれません。計画についてこのようなネガティブな印象を持っている場合は、その印象が、どのような経験から生まれてきたのかを少し考えてみてください。もしかしたら、「親や先生に言われて、やりたくもない夏休みの宿題をする計画をしぶしぶ立てた」とか、「試験までの勉強の計画を立ててはみたけれど、勉強の量や時間が多すぎて計画通りに進められなかった」といった、少し残念な記憶があるのではないでしょうか。

一方で、「ずっと行きたかった場所を旅する10日間のスケジュール」を考えるなら、多くの方が「どこに行く?」「何をする?」「何を食べる?」とワクワクしながら計画を立てると思います。上で見たような「少し残念な計画」と「ワクワクする計画」は、何が違うのでしょうか。

ここでは、1)計画を立てる主人公が「自分」になっているか、2)何を達成するための計画かが明確になっているか、3)予定通りに進まないことを許す余裕があるか、という3点から考えてみましょう。

1) 計画を立てる主人公が「自分」になっているか

計画というのは、本来、自分のために立てるもの。「先生に怒られないように」

とか「上司に言われたから」といった理由で立てるものではありません。誰かの顔色を窺いながら、やりたくもない計画を立てるのはもうやめにしましょう。**学びの主人公はあなた自身です**。法則2で考えた「最高・最強の人生」を実現するためには、いつまでに何をしたらいいのかを具体化するための道しるべとなるような計画を、これから一緒に考えていきましょう。

2）何を達成するための計画かが明確になっているか

計画を立て、最初は張り切って計画通りに進めるものの、「今日は忙しかったから」「疲れているから」と言い訳をして、いつの間にか学習がストップしてしまった経験はありませんか。言語学習を成功させるには日々の積み重ねが不可欠だとみんな頭ではわかっているのですが、計画に従って学習を継続するのは本当に難しいことです。

そんな時こそ、**あなたはなぜ言語学習に取り組むのか、その目的を思い出してみましょう**。あなたが「最高の自分」になることと、言語学習はどのように関連していますか？ あなたにとっての「最高・最強の人生」を実現するためには、何に取り組む必要がありますか？ 法則2で紹介した5つのワークを通して、「自分は何のために学ぶのか」「今の私の行動は、どんな未来につながるのか」について、あなたなりのストーリーを考えてみてください。

3）予定通りに進まないことを許す余裕があるか

学習が計画通りに進まない理由の1つに「詰め込みすぎ」があります。最初の段階では、あれもしたい、これもしたいと思うあまり「毎日5時間、単語100個」のような無理な計画を立ててしまいがちです。また、急に仕事が忙しくなった、家族に病人が出た、といった突発的な理由で、計画通りの学習ができなくなることも少なくありません。几帳面で真面目な人ほど、計画通りに進まないと「やっぱり私はダメだ」と自分を責め、やる気もすっかり萎えてしまうかもしれません。

しかし、計画が予定通りに進まないのは、決してあなたが「ダメだから」ではありません。**大切なのは自分を責めることではなく、「なぜ予定通りに進まなかったのか」をいろいろな角度から分析し、適切な軌道修正を行うことです**。計画の段階で、軌道修正をするための「振り返りの時間」や、積み残しの課題に取り組むための「予備の時間」を確保しておくのがおすすめです。

自分に適した計画を立てるために、以下のワークをやってみましょう。

ワーク8　If-thenプランニング
──計画を実行するための仕組みをつくる →p. 35

学習が計画通りに進まない原因を探り、それらが実際に起きた場合の対応策を考えるためのワークです。

ワーク9　妨げ・障壁を乗り越える疑似体験をする →p. 36

目標達成のために乗り越えなければならない妨げ・障壁を洗い出し、それらを乗り越える疑似体験をするワークです。こうしてあらかじめ困難を予測し、それに打ち勝つ自分をイメージしておくことで、目標達成にぐんと近づくのです。

実行可能な計画を立てることは決して簡単なことではありません。しかし、これらのいくつかのコツをつかんでおくだけで、計画の立て方も、計画の取り組み方も変わってくるはずです！

法則3　計画は自分にわがままでいい

- 計画の主人公はあなた自身
- 「なりたい自分」と「今の行動」をつなげてみよう
- 計画通りに行かないことは当たり前
  ──軌道修正の力をつけよう

ワーク8　If-thenプランニング 計画を実行するための仕組みをつくる

目標達成を目指すにあたり、妨げ・障壁となるものを想定し、あらかじめ対策を立てましょう。

目標達成の妨げになると思われるものをリストアップしましょう。

例：起きるのがキツイ寒い朝 / 友人からの誘い

-
-
-

If-thenプランニング

上記のことが起きた場合、「もしAが発生したら、Bをする」と、その時の対応策を考えましょう！

例：もし、「勉強がしたくない」と思ったら、ストレスなくできる単語帳のページを2分間、まずはやる

-
-
-

ワーク9 妨げ・障壁を乗り越える疑似体験をする

目標を達成するためには、その妨げになる困難を乗り越えなければなりません。そのため、その**困難を乗り越える自分をあらかじめ疑似体験しておくこと**が、目標達成には効果があるのです。

達成したい目標を明確にし、そのイメージを心の中に描く。
その時の気持ちを鮮明に体験する。

ワーク6の「ヴィジョンボード」で作成したイメージや、
ワーク2の「最高・最強の自分を呼び起こす」でつくったイメージを
活用するのもOK！

目標達成にあたり「妨げ・障壁になるような状況」を洗い出す。

例：朝5時に起きて勉強しようとするのに、ベッドから出ることができない。

その「妨げ・障壁を乗り越える自分」を強くイメージする。

例：睡魔を打ち消すように、カーテンに手を伸ばし、窓を開ける。
外の空気を吸い込むと、体に活力がみなぎる。ベッドから出て、机に向かう。

できるだけ五感を使って、実際に妨げを乗り越える自分が
現実に思えるように、イメージしてください。

ほかにも目標達成の妨げ・障壁となる状況を思い浮かべ、
それぞれそれを乗り越える自分の姿を疑似体験してみましょう。
そうすることで、実際にその状況になった時も、
すでにそれを乗り越える自分のイメージがあるのです！

法則
4

自分の「今」にとことん向き合う

法則3でも見たように、計画は自分のためにたてるもの。誰かの真似ではない、あなたにぴったり合ったオーダーメイドの計画をつくるには、あなた自身の今の状況をよく理解することが大切です。

学習の課題を洗い出す

学習を成功に導くために、まず今のあなたの課題は何かを考えてみましょう。ただし、「自分は勉強が苦手だ」や「飽きっぽくて続かない」のような、ざっくりした課題では不十分です。例えば「勉強が苦手」だとしたら、「覚えてもすぐ忘れてしまう」のか「間違って叱られるのがいや」なのか「人と比べて自信を失いがち」なのか、**何が「苦手」なのかの解像度をあげていきましょう**。また、**あなたの「苦手」は必ずしもあなたの問題ではなく、単に今までやってきた学習方法があなたに合っていないだけかもしれません**。「先生に言われたから」「みんながやっているから」といった他人軸で教材や学習方法を選ぶのはやめて、あなたにとってベストのやり方を見つけてください。自分の「今」にとことん向き合うために、以下のワークをやってみましょう。

ワーク10　現状の把握 · pp. 44–45

「○○語が(もっと)できるようになった私」が、学習言語をどんなふうに使っているか、できるだけ具体的にイメージするワークです。その時の自分がどんな行動をしているか、どんどん書き出してみましょう。
そして、今のあなたが、これらの行動やスキルがどの程度できるかを振り返っていきます。

ワーク11　学習全体の振り返り──言語学習の輪 →pp. 46–47

あなた自身の言語学習を包括的に振り返るワークです。「言語学習の輪」は、「モチベーション・やる気」「目標の妥当性・具体性」「学習リソース（使用している教材）」「学習している時の集中度・楽しさ」「時間の使い方（時間管理）」「学習方法（学習スタイル・学習ストラテジー）」という6つの領域で、あなたの今の満足度がどの程度かを可視化するためのツールです。それぞれの領域についてよく考えて、あなたの今の満足度を振り返りましょう。

ほとんどの方の「言語学習の輪」は、きれいな円ではなく、どこかが凹んだ形になっていると思います。凹んだところは今あなたが満足できていないところ、つまり、あなたの課題を示しています。凹んでいる領域には特に注意を払いながら、どうしたら言語学習の満足度を上げられるか考えてみましょう。（6つの領域のうち、「モチベーション・やる気」については法則5、「学習している時の集中度・楽しさ」については法則7で扱います。）

時間の使い方を意識する

1日が24時間なのはみんなに共通ですが、何にどれだけの時間を使っているかは人によって全く異なるものです。まずは、あなたがどのぐらい**時間という「資源」**を持っているかを確認しましょう。

ワーク12　残り時間を計算する →p. 48

生活環境の改善や医療技術の向上によって、人間の寿命は「人生100年時代」を迎えたとも言われています。とはいえ、実際に学習のために使える時間は意外に少ないかもしれません。このワークでは残りの時間を意識し、いつまでに学習の成果を出したいという「締め切り」を明らかにします。

ワーク13　自分の時間の使い方を把握する →pp. 49–51

あなたの「いつもの1週間」を思い出し、いつ、何をしているかを表にまとめ、あなたが一番集中して学習に取り組むことができる「ベストの学習時間」を認識するためのワークです。さらに「ベストの学習時間」と一緒に「ベストの学習場所」も検討してみましょう。

学習スタイル、学習ストラテジーを探す

「学習スタイル」とは、学習方法に対する好みや、個人の頭の中で行われる情報処理の特性などを指す概念です。「**視覚型**（目からの情報で学習するのが得意）」「**聴覚型**（音声情報で学習するのが得意）」「**読み書き型**（文字を読んだり、書き出しながら学習することが得意）」「**身体動作型**（体を動かしながら学習するのが得意）」などが代表的ですが、さらに、「**理論型**」「**熟考型**」「**活動型**」「**実践型**」といった分類や、「**個別学習型**」「**グループ学習型**」「**ハイブリッド型**」など、学習スタイルは多岐に分かれます。ワーク14の「学習スタイル診断」の質問に答えて、あなたの学習スタイルを探してみましょう。これまで気がつかなかった自分の一面に気がつくかもしれません。

ワーク14　自分の学習スタイルを把握する pp. 52–55

「新しい機種の携帯電話を買う時に、購入の決め手となるのは？」など、一見学習とは関係ないような質問が次々と出てきます。楽しみながら学習スタイル診断をやり、その結果を振り返りましょう。あなたは何型の傾向があるでしょうか？ また、今後の学習にその学習スタイルをどう活用できるかを考えましょう。

「学習者が自己評価した学習スタイルと実際に使っている学習スタイルは異なる」といった研究結果もあり、学習スタイルを絶対視することはできません。しかし例えばあなたが「単語を覚えるのが苦手」と思っているとしたら、それは**あなたの好きで得意な学習方法と、今までやってきた学習方法にミスマッチがあったからかもしれません。**日本の学校教育では多くの場合、単語帳を見てそれをひたすら暗記するような方法が取られています。このやり方は「視覚型」の人にはよいのですが、「聴覚型」の人の場合は、単語を「見る」よりも「聞く」方が覚えやすい可能性があります。「身体動作型」の人なら、机に向かって勉強するのではなく、お風呂に入りながら、髪の毛を乾かしながら、のように何か他

の動作と一緒に行ったり、手を動かしてたくさん書く、のような形で勉強したりするのがおすすめです。

ワーク15　いろいろな学習ストラテジーを知る →pp. 56–59

「学習スタイル診断」の結果から、自分に適した「学習ストラテジー」を認識するワークです。「学習ストラテジー」とは、学習する時に用いられる具体的な方法やコツを指します。ストラテジーというとなんだか難しく感じられますが、例えば「大事なところに線を引く」というのも立派なストラテジーの1つです。**自分の特性やタスクの性質に合ったストラテジーを活用することで、学習をより効率的に進めることができます。**

ワーク15の表を見ると、様々なストラテジーがあることがわかります。この表には書かれていないストラテジーを使っている人もいるでしょう。どんなストラテジーを使っているかは個人差も大きいので、学習仲間と一緒に話し合うと、今まで思いもしなかった言語学習の「コツ」が見つかるかもしれません。

学習リソース（使用する教材）を選ぶ

どのような学習リソースを使うとよいかを考えるヒントとしては、以下のような項目があげられます。

1 その言語で何ができるようになりたいか
2 今、何ができるか
3 いつ、どこで勉強するか
4 どんな学習方法が好きか
5 締め切り（区切り）はいつか
6 時間やお金をどれぐらいかけられるか
7 あなたの好みや期待に合っているか
8 ワクワクするか、やっていて楽しいか

1から4はワーク10「現状の把握」、ワーク13「自分の時間の使い方を把握する」、ワーク14「自分の学習スタイルを把握する」を参照してください。

5 **締め切り(区切り)はいつか**

本書では3か月を目安にしていますが、例えば資格試験を受けるなどの具体的な日程が決まっているなら、その日程を区切りにしてもかまいません。

6 **時間やお金をどれぐらいかけられるか**

ワーク12,13で考えた、あなたが言語学習に使えるおよその時間をふまえて、実現可能性の高いスケジュールを考えましょう。どのぐらいの予算が使えるかは個人差が大きいと思いますが、近年はインターネット上の教材やアプリなど、無料または手頃な金額で利用できるものも多くあります。

7 **あなたの好みや期待に合っているか**

ワーク14で考えた学習スタイルに合っているものに加えて、「まず理屈や背景を理解したい」人なら解説が多いもの、「とりあえずやってみたい」人ならタスクやワークがたくさんあるものがいいでしょう。他にも、図表やイラストが多いか文字が多いか、文法中心かコミュニケーション中心か、ゲーム的な要素が取り入れられているかなど、色々なポイントからあなたの好みに合うものを探してください。

8 **ワクワクするか、やっていて楽しいか**

意外に重要なのがこの項目です。みんながすすめる優れた教材でも、あなたとは相性が合わない場合もあるでしょう。**なんとなく気が進まないものに無理して取り組むよりも、あなた自身が「これ!」と思えるものを選びましょう。**

ネットや動画などで紹介されている「おすすめ教材」を参考にするのも1つの方法ですが、教科書や参考書の場合は、できれば書店や図書館で実物を確認してから購入することをおすすめします。「目次」や「はじめに」を読むと、その教材がどういう読者(学習者)を念頭に置いているか、どの程度の学習時間が必要か、どのようなねらいや意図を持って作成されたかなどがよくわかります。また、教科書や参考書などの言語学習のためにつくられた教材だけでなく、YouTubeの動画、映画やドラマ、ネットニュースやポッドキャスト、趣味のSNSグループなど、**あなたの周りにある色々なものが学習のリソースになります。あなたの興味や関心に合ったリソースを自由に選んでみましょう!**

以下のワークを実行することで、自分にとって最適な学習リソースは何かを考えることができます。

ワーク16　学習リソース──何を使って学習するか →p. 60

実際に選んだリソースについて、なぜ選んだか、どのように使うのかを書き出すワークです。複数のリソースを同時に使うのでもかまいません。また、いくつかのリソースの中でどれを選んだらいいか迷う場合は、候補を全て書き出してみる中で、自然と答えが出てくるかもしれません。

ワーク17　学習言語に触れる環境を整える →p. 61

日々の生活の中で、学んでいる言語を聞く、話す、読む、書く機会を少しでも多くするとしたら、どんなことができるか考えていきます。

妥当性・具体性のある目標を立てる

さあ、いよいよ、具体的な目標と計画を立てる段階まできました！　ワーク18「目標設定ピラミッドで全体像をつかむ」やワーク19「アクションプランをつくる」などで考えた言語学習の長期的な目標をもう一度確認しましょう。そして、今のあなたの現状と将来の夢をつなげ、長期目標を達成するための道のりをクリアにしていきましょう。

ワーク18　目標設定ピラミッドで全体像をつかむ →pp. 62–63

「言語学習で達成したいこと（究極の目標）」の実現を目指して、今から何をするかを具体的に決めていきます。あなたの現状と、最終目標をつなぐためには何が必要ですか？ これから3か月で、何をしますか？

ワーク19　アクションプランをつくる →pp. 64–65

これまでのワークで具体的にした目標達成のために、この3か月、何にどのように取り組むかを明確にするワークです。

これから3か月（またはあなたが決めた区切りの日まで）、どのようなスケジュールで学習を進めていくかを考え、3か月後のゴールを設定し、そこに至るまでの1か月ごと、1週間ごとの「タスク」をつくっていきます。「教科書を毎週

1課ずつ進める」「1日15分リスニング」「寝る前に単語を10個覚える」のように、日々行う行動を決め、できるだけ具体的な数字に落とし込むとよいでしょう。また、それらの行動を継続するためには、どんな工夫ができるでしょうか。

こうして日々の「やること」が決まったら、あとは実行あるのみです。まずは3か月続けてみましょう！

ここでは、続けるためのコツを3つあげておきます。

1 **できたことを可視化する**

Part 2のスケジュール帳の「タスクカレンダー」を活用して、計画通りの学習ができた日にチェックを入れましょう。大切なのは、自分が実行していることが可視化されること、少しでも前進していると実感することです。できた日に印を入れているうちに、印がつけたくて実行したくなるはずです。

2 **自分をねぎらう**

1週間計画通りにできたら自分にご褒美をあげる、時々休日（何もしない日）を入れるなど、頑張っている自分をねぎらいましょう。

3 **「プランB」を考える**

目標達成をするにあたり、妨げとなるものを想定し、あらかじめ対策を立てましょう。予定には変更がつきもの。最初の計画通りに進まなかった場合も、何が原因だったかをよく考えて軌道修正すれば大丈夫です！（→ワーク8「If-thenプランニング」、ワーク9「妨げ・障壁を乗り越える疑似体験をする」）

POINT

法則4 | 自分の「今」にとことん向き合う

- 現状を把握し、課題を明らかにする
- 自分なりのゴールデンタイムを見つける
- 自分の「得意」と「苦手」を把握する
- 自分に合ったリソースを探す
- 具体的で達成可能なプランを考える
- うまくいかない場合の軌道修正の方法を考える

ワーク10　現状の把握

ワーク7-2で考えた「○○語が(もっと)できるようになった私」が、○○語をどんなふうに使っているか、できるだけ具体的にイメージしてみましょう。「○○語が(もっと)できるようになった私」は、どんな行動をしているでしょうか。どんどん書き出してみましょう。

次に、今のあなたが、上で書き出した行動やスキルがどの程度できるかを振り返りましょう。「問題なくできる」と「全くできない」の間には、「何か助けがあればできる」という段階もあるかもしれません。「相手の人が少しゆっくり、わかりやすく話してくれれば会話できる」や、「字幕があれば映画がわかる」のように、どんな助けがあればできそうかも考えてみてください。

最後に、今の状況と「○○語が(もっと)できるようになった私」をつなぐために、3か月後に何ができるようになっていたいか、実際に取り組む行動にチェックを入れましょう。

「○○語が(もっと)できるようになった私」は、その言葉をどんなふうに使っている?

例:世界中を旅する私→旅先で会った人と楽しく会話する/駅や空港のアナウンスを聞く/美術館の作品の解説文を読む/旅の感想をSNSに書き込む

その使い方を、今はどれぐらいできる?

右の表の中で、3か月後にできるようになっていたいものを選び、「これをやる!」のところに印をつけてください。また、それができるようになるには、具体的にどのようなことに取り組むといいかも考えてみましょう。

使い方	問題なくできる	助けがあればできる	全然できない	どんな助けがあればできる?	これをやる!
旅先で会った人と楽しく会話する		○		日常的な話題で、相手がゆっくり短めに話してくれれば話せる	○
駅や空港のアナウンスを聞く		○		手元に地図や地名がわかる看板などがあればわかる	

これから3か月で取り組みたいこと

例:旅先で会った人と楽しく会話する→会話表現のバリエーションを増やす / 聞いたことをそのまま、母語に訳さず理解し、テンポよく応答できるようにする

ワーク11　学習全体の振り返り　言語学習の輪

「言語学習の輪(Wheel of Language Learning)」を使って、学習全体を「モチベーション・やる気」「目標の妥当性・具体性」「学習リソース(使用している教材)」「学習している時の集中度・楽しさ」「時間の使い方(時間管理)」「学習方法(学習スタイル・学習ストラテジー)」に着目して、振り返ってみましょう。それぞれのあなたの満足度はどれくらいでしょう。輪の中は0(まったく満足していない)、輪の外縁は10(非常に満足している)となっています。各項目のあなたの満足度のレベルは、どれくらいでしょうか。以下の例のように、書き入れてみましょう。

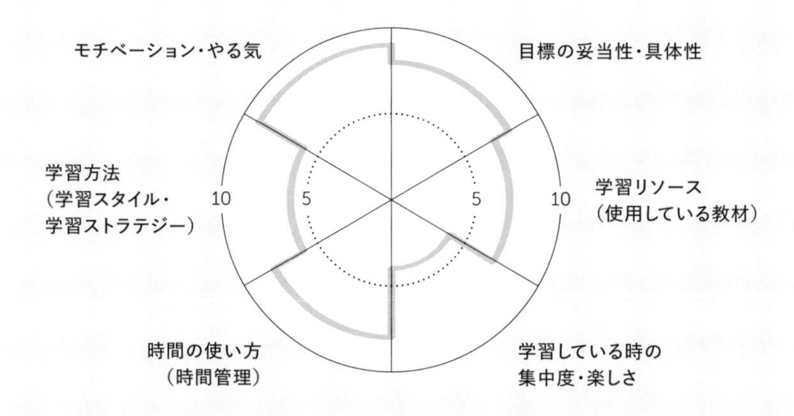

TASK 1で、それぞれの項目の満足度を書き入れたら、あなたの「言語学習の輪」から、どのようなことが見えるか考えましょう。全体的な満足度は？ 関連しあっている項目は？ あなたの輪が、転がるとしたらどんな音がする？ などなど、様々な質問を自分に投げかけてみましょう。次に、TASK 2で改善したい項目を選び、改善にむけてどのような行動が起こせるかを考えましょう。

言語学習の輪（Wheel of Language Learning）

TASK 1　学習全体の振り返り――あなたの今の状態は？

6つに分かれている以下の輪を見て、それぞれの項目の自分の「満足度」を振り返りましょう。輪の中心を0（まったく満足していない）、輪の外縁を10（とても満足している）とすると、各項目のあなたの満足度のレベルは、どれくらいでしょう？

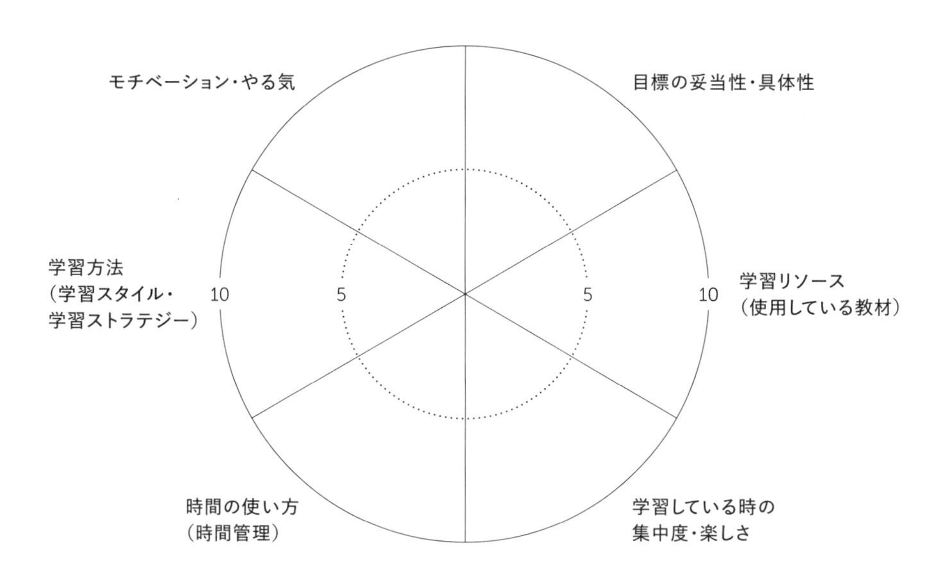

TASK 2　改善したいこと・取り組みたいこと

満足度を上げたい項目を1つか2つ選び、以下について考えてみましょう。

- どうして、それを選びましたか？
- どのような改善や取り組みをしたいですか？
- それをするには、何をすることが必要ですか？
- いつまでに行動を起こしますか？
- 選んだ項目の満足度が上がったら、
  他の項目にはどのような影響があるでしょうか？

ワーク12 残り時間を計算する

1. 人生において、あなたの寿命は
どれくらいであってほしいですか？
歳まで生きたい

2. 学習を続けたいという年齢は？
歳まで学び続けたい

3. それまでに何年ありますか？
年

4. それは何日間ですか？
日間

5. このノートを使って、今あなたが
取り組みたいと思っている
学習の成果は、
いつまでに出したいですか？
年 月 日

6. それは何日間ですか？
日間

7. 1日に平均何時間、学習しますか？
時間

8. ⑦の時間数に⑥の日数を掛けて、
合計の時間数を算出しましょう。
時間

残りの時間を意識し、
いつまでに学習の成果を出したいという
「締め切り」を意識しながら学習しましょう！

ワーク13　自分の時間の使い方を把握する

次ページの「週間スケジュール」を使ってあなたの「いつもの1週間」を思い出し、いつ、何をしているかを表にまとめてください。

まずは、睡眠、食事、仕事や授業、通勤・通学時間など、必ずとられる時間帯を埋めていきます。塗りつぶされた時間帯、空白の時間帯をまずはしっかりと洗い出し、自分がどうやって時間を使っているか、そのパターンを把握しましょう。

その中で、あなたが一番集中して学習に取り組むことができる「ゴールデンタイム」はいつでしょうか。また、表をよく見ると、学習に使えそうな隙間時間(例えば電車での移動時間)や、なんとなく過ぎてしまっているもったいない時間(例えば特に意味のないネットサーフィンの時間)があるかもしれません。これらを踏まえて「あなたにとってベストの学習時間」を探し、その時間に色を塗ってみてください。

また、「ベストの学習時間」と一緒に「ベストの学習場所」も検討しましょう。机に向かうだけではなく、「カフェ」「図書館」「電車の中」あるいは「お風呂の中」、あなたが一番集中できる場所はどこでしょうか。
「ベストの学習時間」「ベストの学習場所」は1つとは限りません。例えば、まとまった文章を読むのは朝机に向かって、単語を覚えるのは夜、入浴後に髪の毛を乾かしながら、ポッドキャストを聞くのは週末にエアロバイクを漕ぎながら、のように、活動によって取り組む時間や場所を変えるのもよいでしょう。

ベストの学習時間

ベストの学習場所

週間スケジュール

	月	火	水	木	金	土	日
5:00 AM							
6:00 AM							
7:00 AM							
8:00 AM							
9:00 AM							
10:00 AM							
11:00 AM							
12:00 PM							
1:00 PM							
2:00 PM							
3:00 PM							
4:00 PM							

	月	火	水	木	金	土	日
4:00 PM							
5:00 PM							
6:00 PM							
7:00 PM							
8:00 PM							
9:00 PM							
10:00 PM							
11:00 PM							
12:00 AM							
1:00 AM							
2:00 AM							

ワーク14　自分の学習スタイルを把握する

以下の学習スタイル診断で、自分にあった学習スタイルを探してみましょう。

診断A

1. 新しい機種の携帯電話を買う時に、購入の決め手となるのは?

- □ (ア) デザインのよさや見栄え
- □ (イ) 販売員による説明やトーク
- □ (ウ) ウェブサイトに書いてある仕様や詳細
- □ (エ) 実際に手に取ってみた時の感触

2. 駅のそばまでは来ているのに駅に行く道に迷っている人に、行き方を聞かれた場合は?

- □ (ア) 地図を書く、地図を見せる
- □ (イ) 行き方を口頭で伝える
- □ (ウ) 行き方を箇条書きにして書く
- □ (エ) 一緒に歩いて連れて行く

3. 友人や家族の誕生日祝いに料理をつくるとしたら?

- □ (ア) インターネットや料理本の写真を見て、つくるものを決める
- □ (イ) 友人や家族につくってほしい料理やそのつくり方を聞く
- □ (ウ) レシピ本やレシピサイトを読む
- □ (エ) 何も見なくても料理の仕方を知っているものをつくる

4. 操作が複雑なアプリの使い方を覚える時は?

- □ (ア) 図表やチャートにして使い方の流れを覚える
- □ (イ) 誰かに説明してもらったり、質問をして覚える
- □ (ウ) 解説書を読んで手順を覚える
- □ (エ) 他の人がやっている様子を見て覚える

5. 電話番号を覚える時は?

- [ ] (ア) 電話のキーパッド(数字ボタン)の位置をイメージしながら覚える
- [ ] (イ) 何度も番号を声に出し、音やゴロ合わせで覚える
- [ ] (ウ) 番号を書いて覚える
- [ ] (エ) 電話のキーパッドの数字ボタンを押す動作と関連付けて覚える

6. 大事なプレゼンの準備をするとしたら? まずは、

- [ ] (ア) 図やチャートで趣旨を整理しながら組み立てる
- [ ] (イ) キーワードを選び、話しながら内容を組み立てる
- [ ] (ウ) 話す内容を書き出して、何度も読み返しながら内容を組み立てる
- [ ] (エ) 事例を集め、できる限り具体的なプレゼンを組み立てる

7. 2回目に行くレストランで何を食べるかを選ぶ時は?

- [ ] (ア) まわりの人が何を食べているかを見たり、メニューの写真を見る
- [ ] (イ) お店の人におすすめを聞いたり、友人の意見を聞く
- [ ] (ウ) メニューに書いてある説明書きを読む
- [ ] (エ) 前に食べたことのあるメニューにする

8. 他者から評価やフィードバックをもらうとしたら?

- [ ] (ア) 図やグラフを使ってもらいたい
- [ ] (イ) 口頭で言ってもらいたい
- [ ] (ウ) 文章にしてもらいたい
- [ ] (エ) 実際の自分の行動・成果を例にあげてもらいたい

9. よいと思うプレゼンは?

- [ ] (ア) スライドのデザインがよく、見やすい
- [ ] (イ) ディスカッションや質疑応答が充実している
- [ ] (ウ) 配布資料がしっかりとしている
- [ ] (エ) デモンストレーションや実践が多い

10. 単語を覚えたい時は?

- □（ア）単語をカテゴリー別に色分けしたり、表や一覧にする
- □（イ）何度も声に出したり、リズムよく繰り返す
- □（ウ）何度も単語を見て、書き出す
- □（エ）実際に会話で使ってみる

診断B

11. 外国語で会話をする時は?

- □（ア）文法や単語の基礎知識をしっかり学んでから話したい
- □（イ）人が話している様子を注意深く観察してから話したい
- □（ウ）細かいことは気にせず、伝えたいことが伝わればいい
- □（エ）人とつながることが目的なので、楽しく話せればいい

12. 外国語の本を読んでいてわからない単語があったら?

- □（ア）すぐに辞書で意味を調べる
- □（イ）読み進めて全体を理解することで、単語の意味を推測する
- □（ウ）あまり気にせずに、どんどん読み進める
- □（エ）誰かに単語の意味を聞いて確かめる

13. 外国語で会議などに参加する時は?

- □（ア）間違っていると嫌なので、できるだけ黙っている
- □（イ）まわりが発言する様子をよく見て、流れを理解しようとする
- □（ウ）詳細は伝わらなくても、趣旨だけでも伝えようと発言してみる
- □（エ）まずは会議の参加者と雑談をしてみる

14. 文法を勉強する時は?

- □（ア）参考書などを読み、文法の基本ルールを覚える
- □（イ）カテゴリー別にわけたり、自分なりに理解しやすい方法で覚える
- □（ウ）文法書をじっくり読むより、問題を解きながら覚える
- □（エ）覚えた文法を使って文章を書いたり、会話で使いながら覚える

診断C

15. 勉強をする時は

- □ (ア) 1人で勉強する方がはかどる
- □ (イ) グループで勉強する方がはかどる
- □ (ウ) 勉強は1人でするが、友人とオンラインで繋がりながら
  勉強するとはかどる

16. 単語を覚える時は?

- □ (ア) 1人で黙々と暗記したい
- □ (イ) 仲間と問題を出し合いながら覚えたい
- □ (ウ) 暗記自体は1人でしたいが、
  その成果をネット上やSNSで仲間と共有したい

ア、イ、ウ、エがそれぞれ何個あったかを数えましょう。1つにつき1点と換算し、以下にまとめてみましょう。診断A, B, Cのそれぞれの点数の高いものが、あなたの学習スタイルの傾向です。

- 診断結果を見て気が付いたことはありますか?
- それを今後の学習にどう活用できますか?

診断A	**(ア)視覚型** 図やグラフ、画像など、目に見えるものを通した学習が得意 点	**(イ)聴覚型** 音やリズムなど、耳から入ってくる情報を通した学習が得意 点	**(ウ)読み書き型** 文字を読んだり、書き出しながら学習することが得意 点	**(エ)運動感覚型** 経験や実践的な活動を通して学習することが得意 点
診断B	**(ア)理論型** まずは基本的な知識をしっかり学びたいタイプ 点	**(イ)熟考型** 全体を体系的に理解したいタイプ 点	**(ウ)活動型** 考えるよりも先に行動したいタイプ 点	**(エ)実践型** 物事を具体的に考え実践するタイプ 点
診断C	**(ア)個別学習型** １人で学習する方が集中できて効果的 点	**(イ)グループ学習型** 他の学習者と一緒に学習する方が効果的 点	**(ウ)ハイブリッド型** 個別に学習しながら他者と繋がると効果的 点	

ワーク15　いろいろな学習ストラテジーを知る

ワーク14の「学習スタイル診断」の結果から、自分にあった学習ストラテジーを探してみましょう。

使ったことのあるストラテジーやこれから使ってみたいストラテジーなどがあったら、チェックボックスに ✓をつけてみましょう。

診断A

視覚型

- □ リストやアウトラインをつくると物事が頭に入りやすい
- □ 図や絵（イラスト）にすると理解が早い（実際に書き出せない場合は、頭の中で描くとよい）
- □ 大事な箇所は、蛍光ペンなどでハイライトする
- □ 多読をする時は、音読よりも黙読が向いている
- □ 相手の表情、しぐさ、目の動き、距離感などに意識がいきやすいので、会話の練習をする時は、そこに着目しながら行うと効果的
- □ スピーチやレクチャーは、いったん自分の頭の中で考える時間をおいてから全体を理解すると、わかりやすい
- □ モチベーションの上がる写真や絵を目に見えるところに置いておくと、学習のやる気が上がりやすい

聴覚型

- □ 文字を読むより、誰かに口頭で説明を受けた方がわかりやすい
- □ 一般的に会話が得意で、何かを説明するのがうまい
- □ 声のトーンや相手の口調を聞き取るのが得意なので、会話の練習をする時には、そこに着目しながら行ってみよう
- □ 教材に付属した音声ファイルなどを使い、シャドーイングを積極的に取り入れる

- 音読を重視した学習をする
- 暗記をする時は、リズムに乗せて覚えたり、替え歌をつくると効果的
- やる気の出る1曲を選び、モチベーションの管理をする練習をすると、音楽を聴かなくてもその曲を想像するだけでやる気が出てくる

読み書き型

- 文字や活字を読んで情報を収集するのが好き
- 書き写すと覚えが早い
- 物事を言葉で表現するのがうまいので、自分なりにノートをまとめると学習がはかどる
- 静かな環境で黙々と勉強することを好む傾向がある
- 多読をする時は、音読よりも黙読が向いている
- 目標やモチベーションの上がることばを書き出し、目に見えるところに置いておくとよい

運動感覚型

- 基本的にじっとしているのが苦手なので、机に向かって学習するよりも「ながら学習」が得意（ジョギング、家事、入浴などをしながら単語を覚えるなど）
- 最初に理論を理解するよりも、まずは行動してから理論を学ぶ方が得意
- 頭の中だけで考えを整理するのではなく、書き出したり、独り言で考えをまとめたり、誰かに考えを伝えたりすると効果的
- 学んだことはすぐに実行に移すとよい（実際の会話、ロールプレイなど）
- 机に向かって集中できない場合は、無理にその場で頑張らず、身体的な動作と連動した学習方法を試してみる（覚えたい単語のリストを壁に貼り、そこまで往復しながら覚えるなど）
- モチベーションを管理する時は、呼吸や身体の状態を整えることにフォーカスするとよい

複合型

- [ ] 視覚型、聴覚型、読み書き型、運動感覚型のすべての要素をバランスよく持っている
- [ ] どれか1つの学習スタイルに特化するのではなく、いくつかを組み合わせると効果的
- [ ] 映画を使った学習の場合、まずは映画を見る、スクリプトを読み込む、何度も声に出して練習する、どれか1つの役になりきってセリフを覚えるなど、1つの教材を多角的に使うことが向いている
- [ ] 単語を覚える時は聴覚型、会話は身体動作型、学習計画を立てる時は視覚型など、それぞれの場面で効率のいいスタイルを組み合わせるのもおすすめ

診断B

理論型

- [ ] 基本をしっかりと学び、正確性を重視する学習方法が好き
- [ ] 何事も自分なりにまとめ、理解を深める時間をとると効果的
- [ ] 何かを暗記する時も、単なる暗記作業にするのではなく、単語を覚えることの意味を確認したり、覚えた単語をどうすれば実践に使えるかなどを考えるとよい

熟考型

- [ ] 物事を様々な視点から観察したり推理することが好き
- [ ] 注意深く人の意見を聞くので、物事に対する理解が深い
- [ ] 考えすぎで行動ができなかったり、決断に時間がかかることがあるので、考えを行動にうつす努力をしてみよう

活動型

- [ ] 新しいことにどんどん挑戦しながら学ぶことが好き
- [ ] とにかくまず動くという活発さと柔軟性がある
- [ ] 思慮深さに欠けることがあるので、計画を実行する時は忍耐をもって取り組もう

実践型

- [ ] 学んだことが実際に使えるかどうかを試して学ぶことが好き
- [ ] 失敗を恐れないでどんどん実践をするので、外国語を使ったコミュニケーションの上達が早い
- [ ] 実用性を重んじるため、細かいルールをあまり重視しない傾向があるので、しっかりと基本を学ぶ努力もしてみよう

診断C

個別学習型

- [ ] マイペースで淡々と勉強することが好き
- [ ] 他人を気にせずに、自分に適した方法で学習できる
- [ ] 自分が集中できる場所や時間を把握しておくと、さらに効果的

グループ学習型

- [ ] 他者と共同で学習することが好き
- [ ] お互いに刺激を受けながら、より学習を深めることができる
- [ ] わからないことを聞き合える環境で学ぶとよい
- [ ] 学習仲間と単語テストを出し合う、学習成果を報告し合うなどが効果的

ハイブリッド型

- [ ] 学習そのものは1人ですることが好きだが、周りに誰かがいる方が集中できる
- [ ] 図書館やカフェで学習するのが効果的
- [ ] 自宅の場合は、仲間とオンラインでつながりながら学習するとよい（例：Zoomをつないで、お互いに勉強している様子が見えるようにする）

ワーク16 学習リソース 何を使って学習するか

自分にあっている学習リソースを探し、リストアップしましょう。

リソース	特徴：なぜ、選んだのか	いつ、どこで、どのように使うのか
1		
2		
3		

目標の数値化（時間、勉強量、ページ数など）
例：リソース①を1日に15分、リソース②を1週間で10ページ

ワーク17　学習言語に触れる環境を整える

日々の生活の中で、学んでいる言語を聞く、話す、読む、書く機会を少しでも多くするとしたら、どんなことができますか？ 以下の図の空欄を埋めてみましょう。

例：友達と学んでいる言語で会話をする／大好きな海外アーティストのSNSを学んでいる言語で読む／学んでいる言語で日記を書く

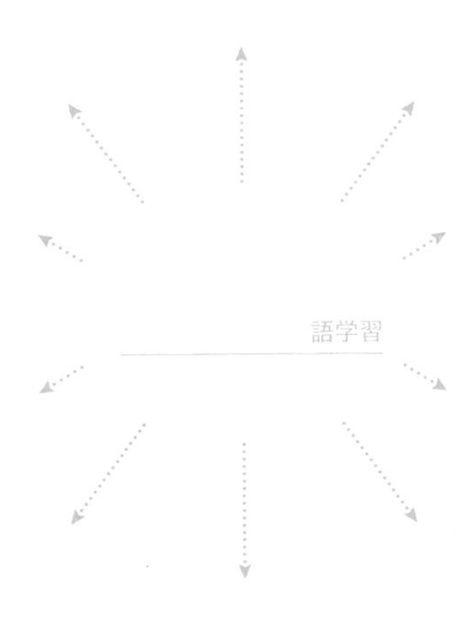

あなたの学習言語に触れる環境から、何が見えますか？

例：読む・聞くのインプットは多いけれど、話す・書くなどのアウトプットが少ない

ワーク18 目標設定ピラミッドで全体像をつかむ

あなたが叶えたい「究極の目標」に向けて、今できることを洗い出すために、「目標設定ピラミッド」をつくりましょう。ピラミッドは上から下へと埋めていってください。

究極の目標

最終的に到達したい地点を「究極の目標」として、書き込みましょう。

例：海外の大学院で修士号を取る

究極の目標に必要なスキル・モノ

その目標達成のために身につけなければならないスキルや必要なモノを考えましょう。

例：TOEFLで高得点／行きたい大学院の情報／留学資金

そのために身につけるべき行動パターン・習慣

どのような行動や習慣が身につけば、必要なスキルとモノは手に入るでしょうか。

例：TOEFLを勉強する時間を1日20分でも確保する／留学情報サイトを頻繁にチェックする／お金の無駄遣いをしない！

短期目標：何を、いつまでにするのか

この3か月の間に、何ができるのかを書き出してみましょう。

例：TOEFLの問題集を1冊、3回やる／行きたい大学院の情報をExcelにまとめて一覧表にする／毎月の出費を記録する

アクション項目：いますぐできること

短期目標を達成するために、今日からできることはなんでしょう？

例：TOEFLの問題集を買って勉強を始める／留学関連の情報の収集を集められるサイトをブックマークする／家計簿を買う！

目標設定ピラミッド

究極の目標

究極の目標に
必要なスキル・モノ

そのために身につけるべき
行動パターン・習慣

短期目標：何を、いつまでにするのか

アクション項目：いますぐできること

ワーク19　アクションプランをつくる

これまでのワークで具体的にした目標達成のために、この3か月、何にどのように取り組むかを明確にしましょう。

この3か月で達成したいこと（→ワーク10, 18）

取り組むリソース・時間・場所・ペース（→ワーク13, 16）

リソース	時間	場所	どのくらいのペースで？
●●語のテキスト	朝起きてすぐ	自宅の机で	1週間で1課
趣味の SNSグループ	通勤時間	電車の中	1日1回、書き込みをチェックする＆自分も書き込む
映画	夜、寝る前	リビングまたは映画館	週に1本

振り返り・軌道修正の時間

例：週末にお気に入りのカフェに行って、このノートを見直し、翌週の見通しをつける

続けるための工夫・注意点

例：小さいノートや携帯のメモ機能に、新しく知った言葉や使えそうなフレーズ、印象に残った言葉を書き出すようにする / 友達と朝活グループをつくって、お互いの進捗をシェアする

3か月頑張れた時のご褒美

例：家族とレストランで乾杯！/ ほしかった服を買う

目標やスケジュール、毎日行う行動（タスク）が決まったら、Part 2のスケジュール帳の「タスクカレンダー」を活用して、タスクを書き込み、できた日にチェックを入れましょう。例えば、「朝の電車で15分リスニング」「寝る前の10分は単語を覚える」などです。そして実行した日には印をつけます。学習以外のことでも、実行したいことはタスクに加えるのがおすすめ！（自炊をする、寝る前にストレッチをするなど）

法則
5

やる気を味方にする

ワーク1では、あなたの言語学習の歴史をモチベーションを切り口にして振り返りました。もう一度、そのグラフを見てください。モチベーションが上がっているのは、どんな時ですか？ 逆に下がっているのはどんな時でしょうか。

モチベーションの上下に影響した具体的な出来事はそれぞれ違っていても、その背景をさらに考えてみると、もう少し深いところで共通した原因が見えてくることがあります。例えば「中学生の時にテストでいい点が取れてもっと頑張ろうと思った」、一方で「大学生になると周りに自分よりももっと上手な人がいっぱいいて、やる気がなくなった」という場合は「外部的な基準(テストや他の人との比較)によって自己効力感(自分はできるという確信)が変化し、それによってやる気も上がったり下がったりする」と整理できるかもしれません。

このような整理は、できれば他の人と対話しながら進めることをおすすめします。**対話を行う場合は、お互いの話をよく聴くことに集中し、「評価」や「指示」は控えましょう。**対話の相手がいない場合は、自分が自分のアドバイザーになったつもりで、書き出したものを見ながら心の中で対話をしてみてください。

モチベーション(動機付け)に関する研究では、以下のような要因がモチベーションに影響を与えると言われています。あなたのやる気は、どの要因の影響を強く受けているでしょうか？

- 学習言語への関心
- 学習言語を使う社会や文化への関心
- 国際的志向性(国際的な仕事や世界への関心)
- 将来の目標との関連(就職や進学など)
- 学習の結果から得られる報酬(昇給、ご褒美、賞賛、達成感など)

- 親や教師の働きかけ(励まし、評価、叱責など)
- 友人・クラスメートとの関係
- コミュニケーションへの関心もしくは不安
- 自律性(自分の行動を自分で選択し、責任を持つ)
- 有能性(自分の能力に対する自信・期待・達成感)
- 理想的な自己像(自分はこうありたいというイメージ)
- 外部環境(社会状況・経済状況・家庭状況など)
- 優先順位(他のやるべきこと・やりたいこととの相対的な関係)

こうして見ると、**あなたの「やる気」は思った以上にいろいろなことの影響を受けている**ことがよくわかるのではないでしょうか。これらの要因の中には、自分の努力だけでは変えにくいものもありますが、まずは自分の置かれている状況や、何の影響を受けやすいかを自分なりに理解することが大切です。その上で、どんな状況ならやる気を維持しやすいのかを考えてみてください。また、ネガティブな状況や不安な気持ちに悩んでいるとしたら、まずは今の正直な気持ちを書いたり口に出したりしてみましょう。その上で、自分の不安や焦りがどこから来ているのか、改善に向かった行動を取ったり、今の状況をポジティブに捉え直したりすることができないか、もう一度考えてみてください。いろいろな視点から柔軟に見直すことで、意外と簡単に気持ちが楽になるかもしれません。

やる気を味方にするために、以下のワークをやってみましょう。

ワーク20　私のやる気の源 →p. 69

あなたの「やる気スイッチ」を押してくれるのはどんな状況か、その状況を書き出すワーク。どうしてもやる気が出ない時には、ここに書き出した状況をつくってみるといいかもしれません。

ワーク21　ほめほめ日記をつける →p. 70

なんとなく不安がある時に取り組みたい「ほめほめ日記」。まずは1週間、どんなことでも、言語学習に関してポジティブなことを書き出してみてください。

ワーク22　最高・最強の自分にアドバイスをもらう →p. 71

学習に行き詰まった時、ワーク2で考えた「最高・最強の自分」を呼び起こし、その「最高・最強の自分」に、「今のあなた」がアドバイスをもらうというワーク。

ワーク23　発想・視点の転換をする →pp. 72–73

「視点転換シート」を使ったワーク。シートの中心に「私の状況」を書き込み、あなたに最も影響を与えている人を4人選び、それぞれが「私の状況」に対してなんと言うか、想像して書き込んでいきます。

感情そのものに直接的にアプローチするのではなく、まず環境や行動を変えてみるのも1つの方法です。**環境を整え、頑張らなくても行動（学習）がスタートできる工夫をする**ことで、結果的に学習が継続できるようになるのです。

ワーク24　自然と学習できる環境を整える →p. 74

疲れている時ややる気の出ない時は、なかなか勉強を始められずにずるずると時間だけが過ぎていきがちです。自分の身の回りを整えて、頑張らなくても知らないうちに学習言語に触れられるような環境をつくり、無理なく学習が始められるようにしましょう。

法則5 ｜ やる気を味方にする

- 自分のやる気の源ややる気の波を把握する
- 自分が自分の最強の味方になる
- ネガティブをポジティブに変える
- 頑張らなくても行動が始められるように環境を整える
- 思考と行動を変えることで、感情を変える

ワーク20　私のやる気の源

あなたの「やる気スイッチ」を押してくれるのはどんな状況でしょうか。色々な状況を書き出してみてください。どうしてもやる気が出ない時には、ここに書き出した状況をつくってみるとよいでしょう。

私のやる気スイッチリスト

例：「推し」の音楽を聞いた時 / 友達と励ましあう時 / お気にいりのカフェでコーヒーを飲んだ時

-
-
-

近いうちにやる気が下がるような状況があるとしたら、どのようなものでしょうか？ また、その時に役立ちそうなやる気スイッチはどれでしょう？

-
-
-

ワーク21 ほめほめ日記をつける

「なんだか自信がもてない」という漠然とした不安は、言語学習にはつきものです。そんな時は、ほめほめ日記に取り組んでみましょう。まずは、1週間、どんな小さなことでも、言語学習に関してポジティブなことを書き出してみましょう！

例：今日の勉強は20分でも集中してできた。前よりも単語テストの点数が少しだけ上がった。やる気がなかったのに勉強を始めたら、けっこう続けられた。

以下のスペースを使ったり、Part 2の週間スケジュール帳を利用してもよいでしょう。

言語学習に関して「私ってすごい！」と思ったこと

月曜日 〉

火曜日 〉

水曜日 〉

木曜日 〉

金曜日 〉

土曜日 〉

日曜日 〉

ワーク22　最高・最強の自分にアドバイスをもらう

学習していて行き詰ることがある時は、このワークをしてみましょう。

TASK 1

今の悩みを明確にする――あなたは今、何に悩んでいる?

TASK 2

ワーク2でつくった「最高・最強の自分」のタイトルを以下に書き込み、最高・最強の自分を呼び起こしてみましょう。

“ ”

TASK 3

さあ、その自分が、
今のあなたの抱えている
問題にアドバイスを
与えるとしたら、
なんと言うで
しょうか。

私から私へのメッセージ

ワーク23　発想・視点の転換をする

発想や視点の転換が必要な時、以下の視点転換シートを使ってみましょう。

まず、中心に「私の状況」を書き込みます。そして、自分に最も影響を与えている人を4人選んでください。実際に知っている人でも、有名人や歴史上の人物でも、すでに他界した人でも、将来の自分でもかまいません。

次に、＿＿＿の声の下線部に4人の名前を書き入れましょう。そして、この4人がそれぞれ「私の状況」を見てなんと言うかを考え、4人の声をそれぞれ書き込んでいきましょう。

例：

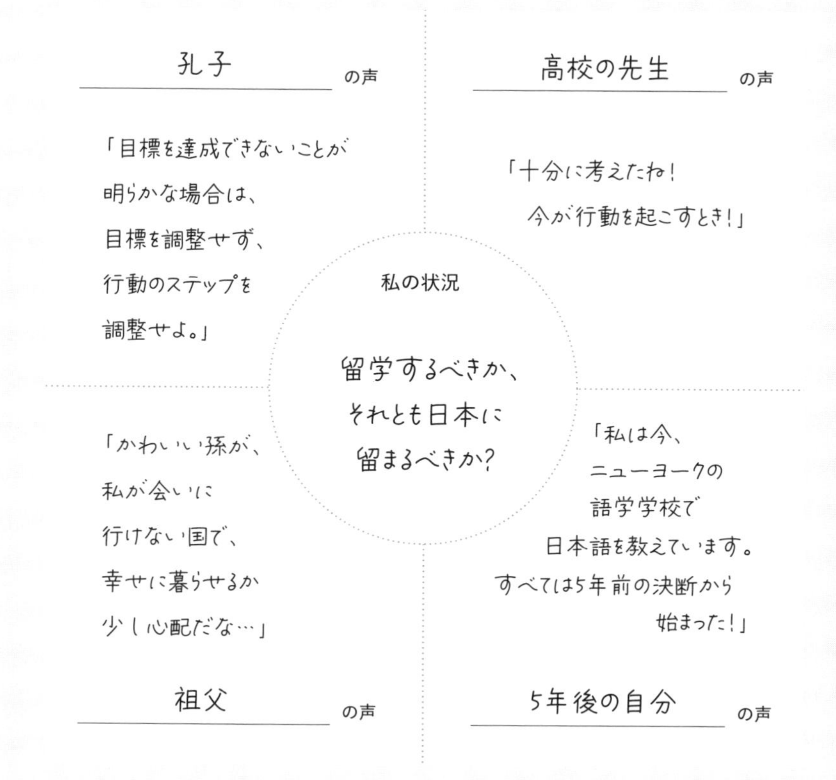

視点転換シート

______________________ の声

______________________ の声

私の状況

______________________ の声

______________________ の声

ワーク24　自然と学習できる環境を整える

自分の身の回りを整えて、頑張らなくても知らないうちに学習言語に触れることができているような環境をつくっていきましょう。

例：朝起きる時間に学習言語の音楽が流れるようにセットする／問題集の次に取り組むページを開いて机の上に置いておく／パソコンや携帯のデフォルト言語を学習言語に設定する

他にも何かよいアイデアはないか、周りの人に聞いたり、調べたりしてみましょう。

-
-
-

また、こうした自然と学習ができる環境が整ったら、自分にどんな変化が起きるか、想像してみましょう。

法則
6

学習の軌跡を記録する

なぜ、記録を残すのか

学習において、何をすべきかに関する計画を立てたとしても、実際に何をやって、何を感じているのかに関する学習の軌跡を記録する人は、あまり多くはありません。

私達は案外、自分が思っているほど、自分で何をしているか、そして何を感じているかはわかっていないものです。しかし、**学習の記録を残すことで、自分の行動や感情に対する認知が高まり、行動自体が改善されていく可能性が強くなる**と言われています。

まず、学習を記録をすると自分の行動が可視化され、客観的に自分の行動やパターンを把握することができます。自分の行動を分析し、パターンを把握する作業は、時には辛いものかもしれません。それは、時として、目標と現実のギャップを知るプロセスになるかもしれないからです。しかし、この**ギャップを知ることは、「よい焦り」や「後押し」となる**ことがあります。

記録は本来、学習した直後につけるのが最も効果があるとされますが、忙しい毎日でそうもいかない時、記録をつけることを習慣化するには、**日常の行動と記録付けを紐付ける**ことをおすすめします。例えば、朝仕事や勉強を始める前、昼食を食べた直後、歯を磨いた後、夜寝る前など、毎日行うことと紐付けて記録をつけることをやってみましょう。

また、記録を取り続けると、おもしろいことに私達はおのずと、**「いい記録を残したい」という気持ちがわいてくる**のです。毎回、目標と現実のギャップを見るのは、気分のいいものではないからです。そして「いい記録」がたまり始めると、次に、私達はなんらかの「達成感」を感じ始めることになります。ここまでくると、もはや**記録をつけるのは「面倒な作業」ではなく、日課や喜びになっているかもしれません。**学習の記録をつけるのであれば、この段階まではもっていきましょう。

行動、認知、感情を記録する

学習の軌跡を記録するといっても、何を記録すればよいのでしょう。学習記録は、実施した学習の内容、時間、成果などだけではなく、自分自身の学習に対する感情も残すことがポイントです。**『学習意識改革ノート』には、「月間カレンダー」「タスクカレンダー」「週間スケジュール」など、いくつもの学習記録のツール**が用意されています。これらのツールを使って記録をしていきましょう。使い方はPart 2の「スケジュール帳の活用方法」を参考にしてください。

もちろん、自分なりにアレンジして活用していただいてもOKです。しかし、その際には、必ず以下の3つの要素を記録するように心がけましょう。

- **学習行動：**何を、どれくらい、いつ、どこで学習したのか。
  例：単語帳5ページ、朝の通勤電車で15分
- **認知：**その学習に対して、どんな気づきがあったのか。
  例：朝の電車で暗記をしたら、いつもより多くの単語を覚えることができた
- **感情：**自分の感情はどういったものなのか。
  例：思いのほか覚えることができて、ちょっとやる気が出てきた

こうした**学習行動、認知、感情を記録することで、自己分析をするための自分の豊富なデータを集める**ことができます。学習の改善、ましてや学習意識の改革は、こうしたあなただけのデータなくしては、なしえることはできないのです。

記録を使って何を分析するのか

では、こうした記録はどうやってさらなる学習にいかすことができるのでしょうか。まずは、定期的に記録を読み返してください。**1週間の終わり、1か月の終わり。そしてご自身に以下のようなリフレクティブ・クエスチョン（内省を促す質問）を投げかけて**みましょう。

この1週間(1か月)、何をしただろう。何を達成できただろう。
例:目標のほとんどを達成することができた

その中で、自分にはどんな気づきがあっただろうか。
例:朝勉強をするとはかどることがわかった

それに伴う自分の感情は?
例:早起きをすると爽快な気分になるし、夜更かしをするよりもエネルギーがみなぎる感じがして、やる気が出る

こうした質問をあえて、意識的にご自身に投げかけてください。学習の意識を改革するには、まずはご自身に対する認知を高めていくことが第一歩です。

学習行動、気づき、感情といった、学習の軌跡の記録を残すことは、一見面倒な作業に見えますが、学習の意識を変化させ、学習を継続させるという意味では、いいことだらけです。そのためにも、まずは、自分にあった記録方法やフォーマットを探しましょう。

POINT

法則6 | 学習の軌跡を記録する

- 記録をすること自体が、行動を改善する効果を持つ
- 自分の行動が可視化されるので、自分のパターンがわかる
- 行動、認知、感情を記録する
- 些細なことも記録する
- 記録する時間を決める
- 記録を見返すことで、「やった感」が生まれ、モチベーションが上がる
- 記録を定期的に読み返し、自分自身にリフレクティブ・クエスチョンを投げかける

法則 7

ウェルビーイング(well-being)を意識する

学習におけるウェルビーイングの重要性

言語の習得には、「継続的な学習」がどうしても欠かせません。そのため、言語学習は他の教科よりも、さらに積極的な関与をすることが重要となってきます。学習が楽しく、病みつきになるくらい没頭できたら、どんなによいでしょうか。学習におけるこの「積極的な関与を促す」1つの重要な要素が、「ウェルビーイング(well-being)」です。

ウェルビーイングとは、「良好な(well)」「状態(being)」を指し、充実した人生、イキイキした生き方をしている状態のことを意味します。単に気分がよくてハッピーといった一時的な感情というよりも、人が人としていきる根本に触れるもので、人生の意義や達成感、自分の潜在能力が十分に発揮されていることへの幸福感、人とのつながりによる充足感などと言った、人間としての基本的な欲求が満たされている状態を意味します。

こうしたウェルビーイングが学習にないと、学習は単なる作業やインプットに終わってしまい、学習を継続すること自体がストレスになってしまいます。だからこそ、学習において、ウェルビーイングを意識的に向上させることが重要なのです。

ウェルビーイングの構成要素

ウェルビーイングを向上させるには、まずは、ウェルビーイングの構成要素を理解する必要があります。このノートでは、学習におけるウェルビーイングの要素として以下の項目に着目します。

学習の意義	学習を行うことに意義を感じ、 学習を行うことに幸せを感じている状態
達成感	目標を持って取り組んだことを成し遂げること による達成感。 やり遂げたことが自信となり、自信が自信を生む
エンゲージメント	時間が経つのも忘れるくらい 学習に熱中している状態(フロー状態)
ポジティブ感情	学習に対する明るく、前向きな感情
関係性	学習の過程において、 他者と積極的に関わっている状態
健康	身体の良好な状態。良質で十分な睡眠、健康的な食事、 適度な運動などを行い、学習するにあたり 自分が健康だと感じられる状態
有能性	自分自身のスキルの向上、学力や知識の向上、 行動範囲の拡大など、できることが増えていることを 実感している状態
自律性	自分自身で自分の学習に関する意思決定が できていると感じる状態
デジタル ウェルビーイング	スマートフォンやPCなどのデジタルデバイスや テクノロジーと健全に付き合っている状態
ネガティブ感情	孤独や不安など、学習に対する負の感情が あまりない状態
レジリエンス	不利な環境にうまく適応したり、 落ち込んだ状態から回復したりする力

このように、学習を継続するには多くの要素が関連しているということが直感的に理解できるかと思います。しかし、学習におけるウェルビーイングを上げるには、まずその要素を再認識することが第一歩です！

特に、「健康」や「デジタルウェルビーイング」と学習の関係は見落とされがちです。特に近年では、デジタル機器は学習にとって便利なツールであると同時に、使い方を制御しないと、学習に悪影響をもたらします。睡眠の質の低下や眼精疲労による学習意欲の低下のみでなく、スマホやネットを見ていないと不安になるというケースもあります。学習のウェルビーイングを考える時は、それぞれの要素を包括的に観察し、項目同士がどう関連しているのかを分析することが効果的です。自分のウェルビーイングの現状を理解するために、以下のワークをやってみましょう。

ワーク25　学習者ウェルビーイングを測定する →pp. 82–86

24の質問項目からなる11段階評価の「学習者ウェルビーイング測定」で、各分野の点数をつけて、自分の学習者としてのウェルビーイングがどんな状態かを把握しましょう。

ワーク26　学習者ウェルビーイングの測定結果を分析する →pp. 87–90

ウェルビーイングの構成要素をさらに分析し、現状を把握します。何を改善するとより学習が楽しくなるのか、自分なりのルールをつくることで、意識的にウェルビーイングを上げてみましょう！

さらに、ウェルビーイングの大切な構成要素である体と心をケアするために、以下のワークもやってみましょう。

ワーク27　ボディスキャニング →p. 91

体の各部位に意識を集中して、自分の感情がどこに属しているのかを感じるためのワーク。問題のある個所を意識的に癒すイメージをつくりましょう。

ワーク28　アンガーコントロール …pp. 92–93

あなたがイライラを感じる出来事を書き出し、それに関連した「べき思考」と、怒りを強化する状況は何かを考えましょう。今持っている「べき思考」を手放して、もう少し緩やかに、柔軟に捉え直すことができるでしょうか。

法則7　ウェルビーイング(well-being)を意識する

- 継続的な学習にウェルビーイングの向上はかかせない
- ウェルビーイングには構成要素があり、意識的に上げることができる
- まずは構成要素を意識し、ウェルビーイング測定の結果を分析することで、ウェルビーイングの向上につなげよう!

ワーク25 学習者ウェルビーイングを測定する

学習に積極的に関与するには、ウェルビーイングを意識していくことが大切です。ウェルビーイングは、単に楽しい、うれしいといった一時的な感情ではなく、構成要素があることが心理学の世界では研究されています。このノートでは、以下の要素を学習に大きく関係するウェルビーイングとしています。

- 学習の意義
- 達成感
- エンゲージメント
- ポジティブ感情
- 関係性
- 健康
- 有能性
- 自律性
- デジタルウェルビーイング
- ネガティブ感情
- レジリエンス（不利な環境にうまく適応したり、回復する力）
- 全体的なウェルビーイング

では、自分の学習者としてのウェルビーイングがどういう状態かを測定してみましょう！　次ページの質問票の質問に11段階で答えましょう。0点を「まったく当てはまらない」、10点を「とても当てはまる」とし、以下のように「点数」を入れていきましょう。

各分野には2つの質問があります。分野ごとに小計を出しましょう。つまり、(上段の点数+下段の点数)÷2が各分野の小計得点となります。

記入例

分野		質問	点数 0−10点	小計得点 上段+下段÷2
学習の意義	1	私は目的や意味のある学習をしている	6	5.5
	2	自分の学習が、自分の人生において重要で価値のあることだと感じている	5	
達成感	3	学習の目標達成に向けて前進していると感じる	4	3.5
	4	自分で立てた学習目標を達成することができている	3	
エンゲージメント	5	私は学習している状態がとても好きだ	5	5.5
	6	私は学習を始めると集中力が高まり、時間を忘れてしまうことがある。	6	

0点=まったく当てはまらない　10点=とても当てはまる

ただし、質問17〜20は逆転項目(点数が高いほど負の要素)なので、以下のような計算式になります。

(20−(質問17の点数+質問18の点数))÷2

(20−(質問19の点数+質問20の点数))÷2

例:(20−(6+8))÷2=3

20から質問19の点数(6点)と質問20の点数(8点)を足した14を引き、2で割る

分野		質問	点数	小計得点
ネガティブ感情	19	私は頻繁に学習に不安を感じる	6	* 3
	20	私は孤立して学習をしていて、孤独を感じる。	8	

学習者ウェルビーイング測定

下記の項目に、0点＝まったく当てはまらない、10点＝とても当てはまる、という11段階で点数をつけましょう。そして、各分野の小計得点を計算してください。
ただし、＊の印がついている項目（質問17－20）は逆転項目（点数が高いほど負の要素になる）となり、計算式は（20－（17の点数＋18の点数））÷2、（20－（19の点数＋20の点数））÷2となります。

分野		質問	点数 0～10点	小計得点 上段＋下段÷2
学習の意義	1	私は目的や意味のある学習をしている		
	2	自分の学習が、自分の人生において重要で価値のあることだと感じている		
達成感	3	学習の目標達成に向けて前進していると感じる		
	4	自分で立てた学習計画を達成することができている		
エンゲージメント	5	私は学習している状態がとても好きだ		
	6	私は学習を始めると集中力が高まり、時間を忘れてしまうことがある		
ポジティブ感情	7	学ぶことに喜びを感じている		
	8	私は学習に前向き（ポジティブ）な姿勢で取り組んでいる		
関係性	9	私の周りには一緒に学び、私をサポートしてくれる信頼できる仲間がいる		
	10	新しいことを学ぶことを通じて、様々な人とのつながりを持てるようになった		
健康	11	私は意欲的に学習するための十分な睡眠をとっている		
	12	バランスのよい食事と適度な運動を心がけている		

分野		質問	点数 0〜10点	小計得点 上段+下段÷2
有能性	13	学習することで、自分の学力が向上していると感じる		
	14	以前はできなかったことができたり、わからなかったことがわかる感覚がある		
自律性	15	私は自主的に学習していると感じる		
	16	私は自分の学習を自分自身でコントロールできていると感じる		
デジタルウェルビーイング	17	学習中に、パソコン、スマホなどのデジタル機器やインターネットが気になって、学習の妨げになることがある		*
	18	パソコン、スマホなどのデジタル機器やインターネットを使いすぎで体調に影響が出ることがある(肩こり、目の疲れなど)		
ネガティブ感情	19	私は頻繁に学習に不安を感じる		*
	20	私は学習をしていて、孤独を感じる		
レジリエンス	21	大変だと思うことがあっても、自分を励まして学習を継続することができる		
	22	気分が乗らない時も、うまく気持ちを切り替えることができる		
全体的なウェルビーイング	23	全体的に見て、私は自分の学習に満足している		
	24	私は自分の人生(学習以外も含め)に、幸せを感じている		

測定結果をグラフにする

「学習者ウェルビーイング測定」の12分野(学習の意義、達成感、エンゲージメント、ポジティブ感情、関係性、健康、有能性、自律性、デジタルウェルビーイング、ネガティブ感情、レジリエンス、全体的なウェルビーイング)のそれぞれの小計得点を、右の例のようにグラフに書き込みましょう。

数値が高いほど、その分野におけるウェルビーイングが高いということになります。

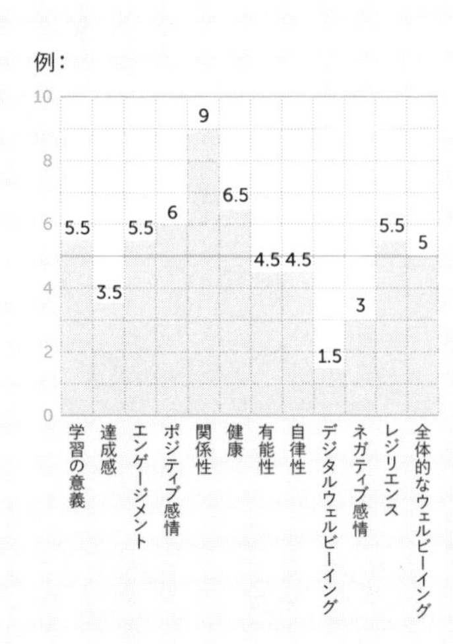

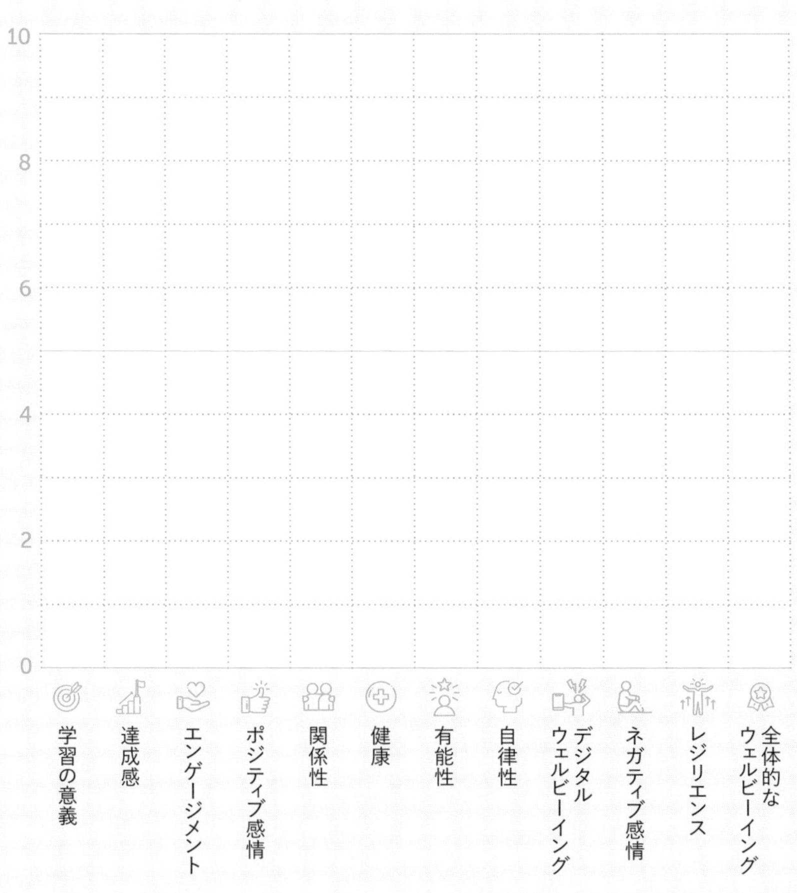

ワーク26 学習者ウェルビーイングの測定結果を分析する

TASK 1

それぞれのウェルビーイングの要素をさらに分析しましょう。

質問	今の状態	現在の満足度	これから実施したいこと
質問 1, 2 学習することに意義を感じている		%	
質問 3, 4 達成感・前進していく感覚がある		%	
質問 5, 6 学習への没頭・熱中度		%	
質問 7, 8 学習に対するポジティブな感情		%	
質問 9, 10 他者との積極的な関わりあい		%	
質問 11, 12 健康（食事、睡眠、運動）		%	

質問	今の状態	現在の満足度	これから実施したいこと
質問 13, 14 できることが増えているという実感		%	
質問 15, 16 自分で意思決定をしている感覚		%	
質問 17, 18 デジタル機器（PC、スマホなど）との付き合い方		%	
質問 19, 20 学習に対する孤独感や不安感などの感情		%	
質問 21, 22 不利な環境にうまく適応したり、回復する力		%	
質問 23, 24 全体的なウェルビーイングに対する感覚		%	

TASK 2

あなたのウェルビーイングには、どのような傾向がありますか?

- 全体的に見て、どんなことが見えてくる?

- 関連し合っている項目はある?

- 何を改善すると、何がよくなる?

- それができたら、どんな変化が起きる?

- まず取り組みたいこと、今日からできることは?

TASK 3

学習のウェルビーイングを上げるためのルールづくり

学習において、心身ともによい状態を保ち、イキイキしながら学習するために、意識したいウェルビーイングと、それを叶えるための自分のルールをつくりましょう。

- 意識したいウェルビーイングの項目をTASK 1より選び、それを選んだ理由も書きましょう

例：学習に対するポジティブな感情。楽しさがあれば、もっと楽に続けられるから

- 自分のルール

例：ネガティブなことを考えてしまったら、その直後に「なんてね！」と言って、気持ちを切り替える

ワーク27 ボディスキャニング

身体の各部位に意識を集中し、ありのままの自分の状態を観察しましょう。その際に、自分の感情が身体のどこに属しているのかを感じてみましょう。(例:イライラが左の首の付け根にある。ぼんやりとした不安がお腹の奥にある、など)

問題のある箇所を見つけたら、その箇所に「スペース」をつくるイメージを持ちましょう。(イライラが左の首の付け根にある場合、首の付け根に大きな受け皿を置いて、イライラをすべてそこに流すようなイメージを持つなど)

ゆったりとした姿勢で、上から下へとチェックしましょう。

頭のてっぺん

目

あご

首

肩

胸

腕

背中

お腹

お尻

太もも

ふくらはぎ

足の裏

ワーク28 アンガーコントロール

学習を続けていると、何かイライラして腹が立つ時があるかもしれません。私たちの怒りの感情の裏には「べき思考」、つまり「こんな時にはこうするべき」といった、暗黙のマイルールが潜んでいると言われています。「べき思考」があるからこそ自分を律して秩序のある行動ができる一面もありますが、「べき思考」が行きすぎると過剰に自分や周囲を責めてしまい、結果として息苦しさを感じることがあります。また「忙しくて時間がない」「周囲からのプレッシャーがある」といったネガティブな状況にあると、「べき思考」が強化され、負のスパイラルに陥ってしまうものです。

腹が立つ出来事	怒りのボルテージ	背後にある「べき思考」
朝、必ず30分勉強すると誓ったのに、起きられない自分に腹が立つ。	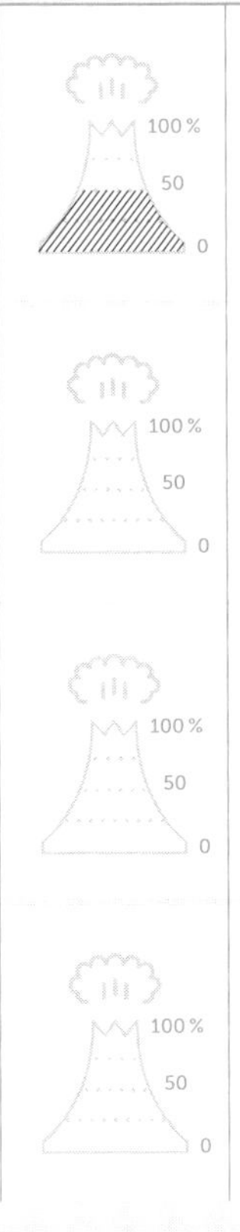	一度決めたことは必ず続けるべき。 朝は早く起きるべき。

一方で、「べき思考」はあなたの心の中にあるものなので、自分でそれを意識することで感情の波をコントロールすることも可能です。あなたのイライラの背景にどんな「べき思考」があるのか振り返ってみましょう。そして、イライラの原因を責めるのではなく、それをいかに解決して行動につなげるか、解決志向・未来志向で考えましょう。

あなたがイライラを感じる出来事を書き出し、それに関連した「べき思考」と、怒りを強化する状況は何かを考えてみてください。今持っている「べき思考」を手放して、もう少し緩やかに、柔軟に捉え直すことができるでしょうか。

怒りを強化する状況	出来事の捉え直し・新しい行動の提案
寝不足で疲れている。 テストが近づいているので焦っている。	・仕事が忙しくて寝不足なのに頑張っている自分をほめる。 ・次の週末はとにかく寝る!! ・30分が難しければ15分だけやってみる。 ・朝起きられない分、ランチタイムを活用する。

法則
8

「振り返る力」を鍛える

学習意識改革を起こすための自律的な学習

本ノートは言語学習における「学習意識改革」を目指すもので、その根底には、学習者の自律的な学習を促進するという目的があります。**自律的な学習とは、学習者が自分の学習に関する「意思決定」を自分でできる能力**を指します。つまり、自分で自分の学習を「セルフプロデュース」できる能力です。

では、言語学習をするにあたり、なぜ自律的に学習する必要があるのでしょうか？ それは、言語学習は必然的に「継続」しなければ成果が出ないからです。しかし、継続するには、「大きなストレス」がかかります。多くの学習者はこのストレスに負けてしまうのです。

学習のストレスを快感に変える――試行錯誤が近道！

大きなストレスがありながら学習を継続するには、どうすればいいのでしょう？ 一言で言えば、「学習を快感に変える」しかないのです。ストレス自体を楽しむマインドをつくる、ということです。

そんなことは無理！という声が聞こえてきそうですが、これは可能です。このストレスに打ち勝つための方法の1つが、学習に自律的に取り組む方法を身につける、ということなのです。そのために必要なのが、**自分にあった方法を試行錯誤して探す**ということです。そして、この「試行錯誤」こそが、カギなのです！

効率よく学習するために、先生や成功した学習者の学習方法をそのまま行うことでは、この試行錯誤は生まれません。「自分だったら、こういうやり方がいいんじゃないか」「順番を変えてやった方が、自分は飽きないんじゃないか」など、オリジナルの方法にどんどん「自分流」を加えていくと、おもしろいことに、私たちのモチベーションはどんどん上がっていきます。つまり、自分で「あれこれやってみる」中で、「これがいい」という自分にあった方法を探すことは、想像以上に楽しいことで、これが、私たちが継続的なストレスを快感に変える1つの効果的な方法なのです。

振り返る力の効果

こうした自分流の学習方法を試行錯誤しながら探すには「リフレクション（振り返り）」が欠かせません。リフレクションをすると**経験したことの経験値が2倍にも、3倍になる**と言われているからです。

リフレクションとは、単に考えることではありません。**自分自身について学び、変化や成長を認識するために、経験、思考、行動を「意図的に探求」すること**です。それは、「どうして、あの時、その選択をしたんだろう」「私にとって、それはどんな意味があったのだろう」「私はそれに対して、どんな気持ちでいるのだろう」など、**簡単に答えられない問いについて、自分なりの試行錯誤をするプロセス**です。だからこそ、そこに重要な再認識や発見があるのです。

リフレクションを深めるには、そのためのよい問いが必要です。しかし、私たちの思考はパターン化をしてしまうことが多く、自己内のリフレクションだけでは、新しい発見がしにくいことがあります。

そこでこのノートは、自分自身で「書き込めるノート」という形で、みなさんがリフレクションを行えるような問いを31のワークとして提供しています。このワークに取り組むことが、まさに自律性を身につけるための「試行錯誤」なのです！

長いスパンで自分自身を振り返るために、さらに以下のワークをやってみましょう。

ワーク29　**再調整をする** →p. 98

これまで実施したワークを振り返り、必要に応じて再調整をしましょう。
学習全体の振り返りができ、軌道修正をすることもできます。

ワーク30　**未来の自分に手紙を書く** →p. 99

未来の自分に手紙を書き、「現在」と「未来」をつなぐことで、一味違った視点で振り返ることにもトライしてみましょう。

リフレクティブ・ダイアローグで振り返りをさらに深める

リフレクションは、もちろん1人でもできます。このノートのワークも独学用に活用することができます。しかし、よりおすすめなのは、誰かと協働で振り返りをすることです。誰かに自分のリフレクションを聞いてもらい、さらなる質問をしてもらうことで、その効果は増大します。そして、このノートが目指す「学習意識改革」の根底にある学習者の自律性の育成も、まさにこの「対話」にあります。この対話は、単なる日常会話ではありません。学習を意図的に振り返る対話です。

「これには、どんな意味があるのだろう」
「どうしたら、うまくいくのだろう」
「自分は、本当は何がしたいのだろう」

こうした簡単には答えられない問いを、対話を通して自分になげかけてみましょう。他者と対話をしながら自分の経験、考え、感情を共に振り返ることで、自分ではできないような視野の広がりや、意識の変化が生まれることでしょう。何より、「誰かに聴いてもらっている」という安心感は力強く学習を後押ししてくれることでしょう。こうした対話を「リフレクティブ・ダイアローグ（内省を促す対話）」と呼びます。

ワーク31　自分への質問

――リフレクティブ・クエスチョン →pp. 100–101

「頭じゃなく心を使うと、何が見える？」など、紹介されている様々な自分へ投げかける質問を参考に、「振り返る力」を鍛えていくワーク。

本ノートで紹介されているワークを誰かと一緒にやってみる、スタディグループを形成してみる、というのもとても効果的な方法です。もし、そういった環境がなかなかつくれない場合は、ご自身のリフレクションをブログやSNSなどで誰かに読んでもらう、というのもいいかもしれません。

法則8 「振り返る力」を鍛える

- 言語学習には継続が必要。だからこそ、
自律的な学習をしないと言語学習は続かない
- 学習の継続には、ストレスが多い。だからこそ、
学習ストレスを快感に変えることが必要
- そのためには、「何が自分にあっているのか」を
自分で「試行錯誤」することが結局は近道
- 人に言われたことををそのままやるより、
「自分流」を見つけた方が、モチベーションが上がる

ワーク29　再調整をする

言語学習においてとても大切なプロセスの1つは、目標や計画を「再調整」することです。一度立てた目標や計画に抵抗や疑問を感じながら、現状にそぐわない学習を続けるよりも、当初の目標や計画を自分の学習の現状にあったものに再調整する方が、ずっと効率的で学習も楽しくなるのです。

以下のワークを見直してみましょう。

» **ワーク8　If-thenプランニング——計画を実行するための仕組みをつくる** →p. 35
目標達成の妨げになるものに対処できていますか？

» **ワーク11　学習全体の振り返り——言語学習の輪** →pp. 46–47
以前描いた輪の上に、現状の輪を書き足してみましょう。
何か差はありますか？

» **ワーク13　自分の時間の使い方を把握する** →pp. 49–51
思うように時間を使うことはできていますか？

» **ワーク18　目標設定ピラミッドで全体像をつかむ** →pp. 62–63
短期目標、実行する内容などに変化はありませんか？

» **ワーク19　アクションプランをつくる** →pp. 64–65
何を、いつ、どこで、どれくらいやるのか。
当初決めたけれど変更したいことはありますか？

これらのワークを振り返って気がついたことはありますか？
以前に立てた目標や計画が現状とあっていない場合、何をどう変更しますか？

ワーク30 未来の自分に手紙を書く

このページに張り付けることができる小さな封筒と便箋を1セット用意してください。そして未来の自分に手紙を書きましょう。1年後の自分、3か月後の自分。どれだけ先の自分に書くのかは、自由に決めてください。手紙を書く時のコツは、未来への願望ばかりを書くのではなく、以下のようなことを含めるとよいでしょう。

- 最初の1行は、未来の自分へのねぎらいの言葉にする
- 現在の自分の状況やその気持ちを説明する
- 未来の自分へ質問をする
- 未来の自分をくすっと笑わせる言葉を入れる

手紙を書いた日　　　　年　　月　　日

手紙を開く日　　　　年　　月　　日

ワーク31 自分への質問 リフレクティブ・クエスチョン

法則8「振り返る力を鍛える」では、自分への問いを投げかけることが、振り返る力(リフレクション)を育てるとお伝えしました。ふとした時に振り返るために、以下のような質問を自分に投げかける習慣をつけましょう!

- そもそも、それをしようと思った理由は何だった?
- 今、何が本当に大切?
- 自分の心はすでに答えを出しているのではない?
- 今の気持ちを何かにたとえるとしたら?
- もしも、すべてがかなうとしたら、何からする?
- 人類に貢献する大発明をあなたがしたとします。それは何?
- 「生前、あの人は○○な人だった」と、あなたが亡くなったあとに周囲の人が言っています。さあ、なんと言われたい?
- 本当に悩んでいる理由は、他にない?
- 大成功した未来の自分がタイムマシンにのってやってきました。
  さあ、今のあなたに何という?
- もしも、たった1つだけ何かを守れるとしたら、何を守る?
- 世界中にあなたの声が届くとしたら、なんて叫ぶ?
- 先に進む前に、まずはこの1年を振り返ろう。何が見える?
- これまでの成果を一言で表すとしたら?
- 今やらなかったら、どうなる?
- それをもっと楽しくやるには、どうしたらいい?
- あなたは今、あなたの成功物語の中を生きています。
  さあ、今のあなたにかっこいいナレーションを付けるとしたら、どんなもの?
- 本当は、何が好き?
- 頭じゃなく、心を使うと、何が見える?
- それは誰のため?
- 来年の今、どこで、何をしていたい?
- 結果にこだわらなくていいとしたら、何をする?

- それをうまくいかせるために、自分自身に何か1つ約束をするとしたら、何?
- もしもあなたの人生の1冊の本だとしたら、その本のタイトルは?
- それが解決したら、何が起きる? あなたはどう感じる?
まわりは何を思う?
- 行動を起こさない本当の理由があるのではない?
- もっと楽に成功する方法はない?
- これまでのパターンを振り返ろう。何が見える?
- これまで生きてきて、一番感動したことは何?
なぜ、それに心を動かされた?
- すべてをもう一度やり直せるとしたら、どうやる?
- あなた自身にキャッチコピーを与えるとしたら、何?

そのほかの私に刺さる質問

-
-
-
-
-
-

本書の使用例、ワークシートの一部は大阪大学出版会のホームページからダウンロードすることができます。ワークシートのダウンロードにはパスワードが必要です。▶パスワード：transformational831

Part 2

スケジュール帳

スケジュール帳の活用方法

月間カレンダーの使い方

　まずは、このノートを開始する年、月、日をカレンダーに書き入れたら、予定表として、予定や約束などを書き入れましょう。また、大きな見取り図として、今月の目標、やることリスト、『学習意識改革ノート』で実施する月のワーク、全体的に使える時間とお金について、書き込みましょう。

今月の目標を書き入れよう！

学習・仕事の予定や、
プライベートの約束などを書き入れ、
予定表として使おう。

月末には「今月の振り返り」を
書き入れ、1か月の全体的な
成果を実感しよう。

学習に使える時間やお金を
書き入れることで、今月使える
リソースを把握しよう。

タスクカレンダーの使い方

目標やスケジュールが決まったら、毎日行う行動（タスク）を決めます。そして「タスクカレンダー」にタスクを書き込み、実行できた日にチェックを入れましょう。例えば、「朝の電車で15分リスニング」「寝る前の10分は単語を覚える」などです。そして実行した日には印をつけます。学習以外のことでも、実行したいことはタスクに加えるのがおすすめ！

大切なのは、自分が実行していることが可視化されること、少しでも前進していると実感することです。できた日に印をつけているうちに、印がつけたくて実行したくなるはずです！

タスクを実行する
月を書き入れよう。

日々実行したいタスクを書き入れよう。
学習以外のことでもOK！

Task Calendar

7 月 / タスク内容	1	2	3	4	5	6	7	8	9	10	11	12	13	14	15	16	17	18	19	20	21	22	23	24	25	26	27	28	29	30	31
単語 1日30語	✓	✓	✓		✓	✓		✓	✓			✓	✓			✓	✓	✓	✓	✓	✓	✓	✓	✓	✓	✓	✓	(TOEIC本番)			
review						✓							✓							✓						✓	✓				
アプリ 2日で1ユニット	✓	✓	✓	✓	✓	✓		✓	✓		✓	✓	✓	✓	✓	✓			✓	✓	✓	✓	✓	✓	✓	✓	✓				
review			✓			✓				✓										✓				✓		✓	✓				
reading														✓		✓		✓					✓			✓	✓				
listening	✓	✓	✓	✓	✓	✓		✓	✓			✓	✓	✓	✓	✓	✓	✓	✓	✓	✓	✓	✓	✓	✓	✓	✓		✓	✓	✓
模擬テスト 7/14, 21														✓ リスニング365 リーディング340							✓ リスニング360 リーディング355										
おふろあがりにストレッチ	✓	✓	✓	✓	✓	✓	✓	✓	✓	✓	✓	✓	✓	✓	✓	✓	✓		✓	✓	✓	✓	✓	✓	✓	✓	✓	✓	✓	✓	✓
ジム	✓		✓						✓		✓				✓				✓			✓				✓			✓		
寝る前に「ほめほめ日記」を書く	✓	✓	✓		✓	✓	✓	✓	✓	✓	✓	✓			✓	✓	✓	✓	✓	✓	✓	✓	✓	✓	✓	✓	✓	✓	✓	✓	✓

実行できた日には✓や○印をつけて、
行動を視覚化しよう！

週間スケジュールの使い方

週の目標を立て、実際に学習・行動したことを記録しましょう。学習に費やした時間や実施した結果の満足度、その日の印象を記入するMini Diaryのスペースを活用して、多面的に記録を取ってみましょう。また右ページの振り返りのスペースに、その週の振り返りを書き入れることで、学習に対する様々な気づきを促します。

月、日、「今週の目標」を
書き入れよう！

この週やるべき
「To-do list｜やることリスト」をつくり、
計画的に行動しよう。

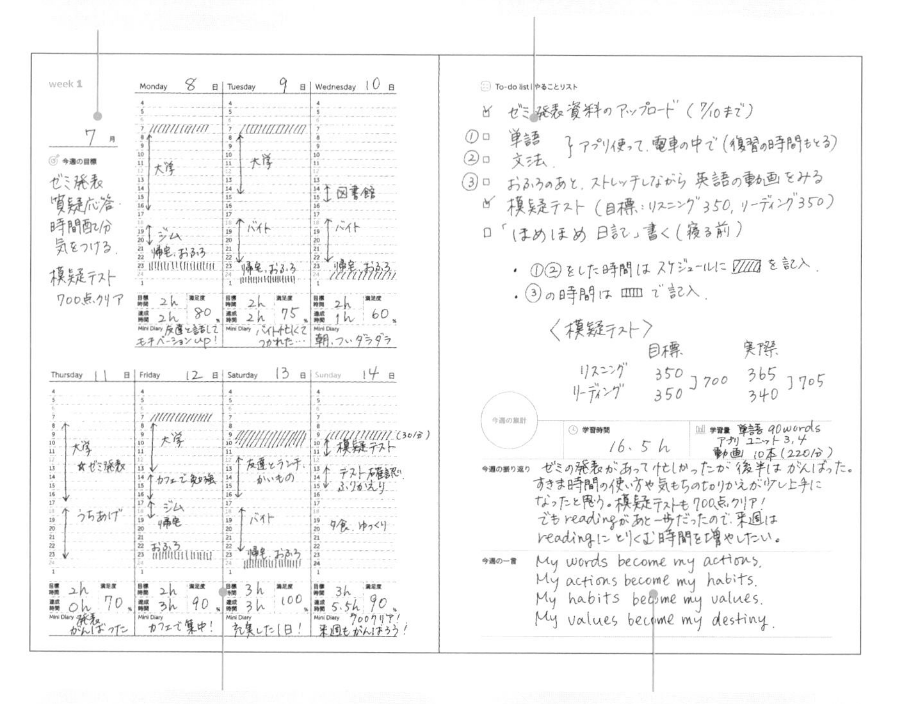

その日の学習の「目標時間」「達成時間」、
学習への「満足度」を記入。
「Mini Diary」には、
その日1日を表す単語を書いたり、
その日を思い出せる1語を書き入れる。

「今週の集計」では、1週間の
「学習時間」、「学習量」の合計を、
「今週の振り返り」では、この1週間で
気が付いたことを書き出そう。
また、今週1週間を一言で表すと
どんな1週間だったか、言語化してみよう。
そして、「今週の一言」には、
お気に入りのフレーズや次週への
意気込みを書いてみよう！

Memo

年　月

今月の目標

To-do list | やることリスト

☐

☐

☐

今月のワーク

☐

☐

☐

今月の学習時間

学習に使えるお金

今月の振り返り

Monday	Tuesday

Wednesday	Thursday	Friday	Saturday	Sunday

月	1	2	3	4	5	6	7	8	9	10	11	12	13
タスク内容													

	14	15	16	17	18	19	20	21	22	23	24	25	26	27	28	29	30	31

年　月

今月の目標

To-do list | やることリスト

☐
☐
☐

今月のワーク

☐
☐
☐

今月の学習時間

学習に使えるお金

今月の振り返り

Monday	Tuesday

Wednesday	Thursday	Friday	Saturday	Sunday

Task Calendar

月	1	2	3	4	5	6	7	8	9	10	11	12	13
タスク内容													

	14	15	16	17	18	19	20	21	22	23	24	25	26	27	28	29	30	31

年　　月

今月の目標

To-do list | やることリスト

☐
☐
☐

今月のワーク

☐
☐
☐

今月の学習時間

学習に使えるお金

今月の振り返り

Monday	Tuesday

Wednesday	Thursday	Friday	Saturday	Sunday

月	1	2	3	4	5	6	7	8	9	10	11	12	13
タスク内容													

	14	15	16	17	18	19	20	21	22	23	24	25	26	27	28	29	30	31

年　月

今月の目標

To-do list | やることリスト

- ☐
- ☐
- ☐

今月のワーク

- ☐
- ☐
- ☐

今月の学習時間

学習に使えるお金

今月の振り返り

Monday	Tuesday

Wednesday	Thursday	Friday	Saturday	Sunday

月	1	2	3	4	5	6	7	8	9	10	11	12	13
タスク内容													

	14	15	16	17	18	19	20	21	22	23	24	25	26	27	28	29	30	31

week 1

月

今週の目標

Monday 日	Tuesday 日	Wednesday 日	Thursday 日	Friday 日	Saturday 日	Sunday 日
4	4	4	4	4	4	4
5	5	5	5	5	5	5
6	6	6	6	6	6	6
7	7	7	7	7	7	7
8	8	8	8	8	8	8
9	9	9	9	9	9	9
10	10	10	10	10	10	10
11	11	11	11	11	11	11
12	12	12	12	12	12	12
13	13	13	13	13	13	13
14	14	14	14	14	14	14
15	15	15	15	15	15	15
16	16	16	16	16	16	16
17	17	17	17	17	17	17
18	18	18	18	18	18	18
19	19	19	19	19	19	19
20	20	20	20	20	20	20
21	21	21	21	21	21	21
22	22	22	22	22	22	22
23	23	23	23	23	23	23
24	24	24	24	24	24	24
1	1	1	1	1	1	1
目標時間 / 満足度	目標時間 / 満足度	目標時間 / 満足度	目標時間 / 満足度	目標時間 / 満足度	目標時間 / 満足度	目標時間 / 満足度
達成時間 / %	達成時間 / %	達成時間 / %	達成時間 / %	達成時間 / %	達成時間 / %	達成時間 / %
Mini Diary	Mini Diary	Mini Diary	Mini Diary	Mini Diary	Mini Diary	Mini Diary

To-do list | やることリスト

- ☐
- ☐
- ☐
- ☐
- ☐

今週の集計	学習時間	学習量

今週の振り返り

今週の一言

week 2

月

今週の目標

Monday 日	Tuesday 日	Wednesday 日
4	4	4
5	5	5
6	6	6
7	7	7
8	8	8
9	9	9
10	10	10
11	11	11
12	12	12
13	13	13
14	14	14
15	15	15
16	16	16
17	17	17
18	18	18
19	19	19
20	20	20
21	21	21
22	22	22
23	23	23
24	24	24
1	1	1
目標時間 / 満足度	目標時間 / 満足度	目標時間 / 満足度
達成時間 / %	達成時間 / %	達成時間 / %
Mini Diary	Mini Diary	Mini Diary

Thursday 日	Friday 日	Saturday 日	Sunday 日
4	4	4	4
5	5	5	5
6	6	6	6
7	7	7	7
8	8	8	8
9	9	9	9
10	10	10	10
11	11	11	11
12	12	12	12
13	13	13	13
14	14	14	14
15	15	15	15
16	16	16	16
17	17	17	17
18	18	18	18
19	19	19	19
20	20	20	20
21	21	21	21
22	22	22	22
23	23	23	23
24	24	24	24
1	1	1	1
目標時間 / 満足度	目標時間 / 満足度	目標時間 / 満足度	目標時間 / 満足度
達成時間 / %	達成時間 / %	達成時間 / %	達成時間 / %
Mini Diary	Mini Diary	Mini Diary	Mini Diary

To-do list | やることリスト

- ☐
- ☐
- ☐
- ☐
- ☐

今週の集計

学習時間	学習量

今週の振り返り

今週の一言

week 3

月

今週の目標

Monday 日	Tuesday 日	Wednesday 日
4	4	4
5	5	5
6	6	6
7	7	7
8	8	8
9	9	9
10	10	10
11	11	11
12	12	12
13	13	13
14	14	14
15	15	15
16	16	16
17	17	17
18	18	18
19	19	19
20	20	20
21	21	21
22	22	22
23	23	23
24	24	24
1	1	1
目標時間 / 満足度	目標時間 / 満足度	目標時間 / 満足度
達成時間 / %	達成時間 / %	達成時間 / %
Mini Diary	Mini Diary	Mini Diary

Thursday 日	Friday 日	Saturday 日	Sunday 日
4	4	4	4
5	5	5	5
6	6	6	6
7	7	7	7
8	8	8	8
9	9	9	9
10	10	10	10
11	11	11	11
12	12	12	12
13	13	13	13
14	14	14	14
15	15	15	15
16	16	16	16
17	17	17	17
18	18	18	18
19	19	19	19
20	20	20	20
21	21	21	21
22	22	22	22
23	23	23	23
24	24	24	24
1	1	1	1
目標時間 / 満足度	目標時間 / 満足度	目標時間 / 満足度	目標時間 / 満足度
達成時間 / %	達成時間 / %	達成時間 / %	達成時間 / %
Mini Diary	Mini Diary	Mini Diary	Mini Diary

To-do list | やることリスト

- [ ]
- [ ]
- [ ]
- [ ]
- [ ]

今週の集計

学習時間	学習量

今週の振り返り

今週の一言

week **4**

月

今週の目標

Monday 日

4
5
6
7
8
9
10
11
12
13
14
15
16
17
18
19
20
21
22
23
24
1

目標時間 | 満足度
達成時間 | %

Mini Diary

Tuesday 日

4
5
6
7
8
9
10
11
12
13
14
15
16
17
18
19
20
21
22
23
24
1

目標時間 | 満足度
達成時間 | %

Mini Diary

Wednesday 日

4
5
6
7
8
9
10
11
12
13
14
15
16
17
18
19
20
21
22
23
24
1

目標時間 | 満足度
達成時間 | %

Mini Diary

Thursday 日

4
5
6
7
8
9
10
11
12
13
14
15
16
17
18
19
20
21
22
23
24
1

目標時間 | 満足度
達成時間 | %

Mini Diary

Friday 日

4
5
6
7
8
9
10
11
12
13
14
15
16
17
18
19
20
21
22
23
24
1

目標時間 | 満足度
達成時間 | %

Mini Diary

Saturday 日

4
5
6
7
8
9
10
11
12
13
14
15
16
17
18
19
20
21
22
23
24
1

目標時間 | 満足度
達成時間 | %

Mini Diary

Sunday 日

4
5
6
7
8
9
10
11
12
13
14
15
16
17
18
19
20
21
22
23
24
1

目標時間 | 満足度
達成時間 | %

Mini Diary

To-do list | やることリスト

- ☐
- ☐
- ☐
- ☐
- ☐

今週の集計

学習時間	学習量

今週の振り返り

今週の一言

week **5**

月

今週の目標

Monday 日

4
5
6
7
8
9
10
11
12
13
14
15
16
17
18
19
20
21
22
23
24
1

目標時間
満足度
達成時間
%
Mini Diary

Tuesday 日

4
5
6
7
8
9
10
11
12
13
14
15
16
17
18
19
20
21
22
23
24
1

目標時間
満足度
達成時間
%
Mini Diary

Wednesday 日

4
5
6
7
8
9
10
11
12
13
14
15
16
17
18
19
20
21
22
23
24
1

目標時間
満足度
達成時間
%
Mini Diary

Thursday 日

4
5
6
7
8
9
10
11
12
13
14
15
16
17
18
19
20
21
22
23
24
1

目標時間
満足度
達成時間
%
Mini Diary

Friday 日

4
5
6
7
8
9
10
11
12
13
14
15
16
17
18
19
20
21
22
23
24
1

目標時間
満足度
達成時間
%
Mini Diary

Saturday 日

4
5
6
7
8
9
10
11
12
13
14
15
16
17
18
19
20
21
22
23
24
1

目標時間
満足度
達成時間
%
Mini Diary

Sunday 日

4
5
6
7
8
9
10
11
12
13
14
15
16
17
18
19
20
21
22
23
24
1

目標時間
満足度
達成時間
%
Mini Diary

To-do list | やることリスト

- ☐
- ☐
- ☐
- ☐
- ☐

今週の集計

学習時間	学習量

今週の振り返り

今週の一言

week 6

月

今週の目標

Monday 日	Tuesday 日	Wednesday 日
4	4	4
5	5	5
6	6	6
7	7	7
8	8	8
9	9	9
10	10	10
11	11	11
12	12	12
13	13	13
14	14	14
15	15	15
16	16	16
17	17	17
18	18	18
19	19	19
20	20	20
21	21	21
22	22	22
23	23	23
24	24	24
1	1	1
目標時間 / 満足度	目標時間 / 満足度	目標時間 / 満足度
達成時間 / %	達成時間 / %	達成時間 / %
Mini Diary	Mini Diary	Mini Diary

Thursday 日	Friday 日	Saturday 日	Sunday 日
4	4	4	4
5	5	5	5
6	6	6	6
7	7	7	7
8	8	8	8
9	9	9	9
10	10	10	10
11	11	11	11
12	12	12	12
13	13	13	13
14	14	14	14
15	15	15	15
16	16	16	16
17	17	17	17
18	18	18	18
19	19	19	19
20	20	20	20
21	21	21	21
22	22	22	22
23	23	23	23
24	24	24	24
1	1	1	1
目標時間 / 満足度	目標時間 / 満足度	目標時間 / 満足度	目標時間 / 満足度
達成時間 / %	達成時間 / %	達成時間 / %	達成時間 / %
Mini Diary	Mini Diary	Mini Diary	Mini Diary

To-do list | やることリスト

☐

☐

☐

☐

☐

今週の集計

学習時間	学習量

今週の振り返り

今週の一言

week 7

月

今週の目標

Monday 日	Tuesday 日	Wednesday 日
4	4	4
5	5	5
6	6	6
7	7	7
8	8	8
9	9	9
10	10	10
11	11	11
12	12	12
13	13	13
14	14	14
15	15	15
16	16	16
17	17	17
18	18	18
19	19	19
20	20	20
21	21	21
22	22	22
23	23	23
24	24	24
1	1	1
目標時間 / 満足度	目標時間 / 満足度	目標時間 / 満足度
達成時間 / %	達成時間 / %	達成時間 / %
Mini Diary	Mini Diary	Mini Diary

Thursday 日	Friday 日	Saturday 日	Sunday 日
4	4	4	4
5	5	5	5
6	6	6	6
7	7	7	7
8	8	8	8
9	9	9	9
10	10	10	10
11	11	11	11
12	12	12	12
13	13	13	13
14	14	14	14
15	15	15	15
16	16	16	16
17	17	17	17
18	18	18	18
19	19	19	19
20	20	20	20
21	21	21	21
22	22	22	22
23	23	23	23
24	24	24	24
1	1	1	1
目標時間 / 満足度	目標時間 / 満足度	目標時間 / 満足度	目標時間 / 満足度
達成時間 / %	達成時間 / %	達成時間 / %	達成時間 / %
Mini Diary	Mini Diary	Mini Diary	Mini Diary

To-do list | やることリスト

- ☐
- ☐
- ☐
- ☐
- ☐

今週の集計

学習時間	学習量

今週の振り返り

今週の一言

week **8**

月

今週の目標

Monday 日

4
5
6
7
8
9
10
11
12
13
14
15
16
17
18
19
20
21
22
23
24
1

目標時間 | 満足度
達成時間 | %
Mini Diary

Tuesday 日

4
5
6
7
8
9
10
11
12
13
14
15
16
17
18
19
20
21
22
23
24
1

目標時間 | 満足度
達成時間 | %
Mini Diary

Wednesday 日

4
5
6
7
8
9
10
11
12
13
14
15
16
17
18
19
20
21
22
23
24
1

目標時間 | 満足度
達成時間 | %
Mini Diary

Thursday 日

4
5
6
7
8
9
10
11
12
13
14
15
16
17
18
19
20
21
22
23
24
1

目標時間 | 満足度
達成時間 | %
Mini Diary

Friday 日

4
5
6
7
8
9
10
11
12
13
14
15
16
17
18
19
20
21
22
23
24
1

目標時間 | 満足度
達成時間 | %
Mini Diary

Saturday 日

4
5
6
7
8
9
10
11
12
13
14
15
16
17
18
19
20
21
22
23
24
1

目標時間 | 満足度
達成時間 | %
Mini Diary

Sunday 日

4
5
6
7
8
9
10
11
12
13
14
15
16
17
18
19
20
21
22
23
24
1

目標時間 | 満足度
達成時間 | %
Mini Diary

To-do list | やることリスト

- [ ]
- [ ]
- [ ]
- [ ]
- [ ]

今週の集計

学習時間	学習量

今週の振り返り

今週の一言

week **9**

月

今週の目標

Monday 日	Tuesday 日	Wednesday 日
4	4	4
5	5	5
6	6	6
7	7	7
8	8	8
9	9	9
10	10	10
11	11	11
12	12	12
13	13	13
14	14	14
15	15	15
16	16	16
17	17	17
18	18	18
19	19	19
20	20	20
21	21	21
22	22	22
23	23	23
24	24	24
1	1	1
目標時間 / 満足度	目標時間 / 満足度	目標時間 / 満足度
達成時間 / %	達成時間 / %	達成時間 / %
Mini Diary	Mini Diary	Mini Diary

Thursday 日	Friday 日	Saturday 日	Sunday 日
4	4	4	4
5	5	5	5
6	6	6	6
7	7	7	7
8	8	8	8
9	9	9	9
10	10	10	10
11	11	11	11
12	12	12	12
13	13	13	13
14	14	14	14
15	15	15	15
16	16	16	16
17	17	17	17
18	18	18	18
19	19	19	19
20	20	20	20
21	21	21	21
22	22	22	22
23	23	23	23
24	24	24	24
1	1	1	1
目標時間 / 満足度	目標時間 / 満足度	目標時間 / 満足度	目標時間 / 満足度
達成時間 / %	達成時間 / %	達成時間 / %	達成時間 / %
Mini Diary	Mini Diary	Mini Diary	Mini Diary

To-do list | やることリスト

☐

☐

☐

☐

☐

今週の集計

学習時間	学習量

今週の振り返り

今週の一言

week 10

月

今週の目標

Monday 日	Tuesday 日	Wednesday 日
4	4	4
5	5	5
6	6	6
7	7	7
8	8	8
9	9	9
10	10	10
11	11	11
12	12	12
13	13	13
14	14	14
15	15	15
16	16	16
17	17	17
18	18	18
19	19	19
20	20	20
21	21	21
22	22	22
23	23	23
24	24	24
1	1	1
目標時間 満足度	目標時間 満足度	目標時間 満足度
達成時間 %	達成時間 %	達成時間 %
Mini Diary	Mini Diary	Mini Diary

Thursday 日	Friday 日	Saturday 日	Sunday 日
4	4	4	4
5	5	5	5
6	6	6	6
7	7	7	7
8	8	8	8
9	9	9	9
10	10	10	10
11	11	11	11
12	12	12	12
13	13	13	13
14	14	14	14
15	15	15	15
16	16	16	16
17	17	17	17
18	18	18	18
19	19	19	19
20	20	20	20
21	21	21	21
22	22	22	22
23	23	23	23
24	24	24	24
1	1	1	1
目標時間 満足度	目標時間 満足度	目標時間 満足度	目標時間 満足度
達成時間 %	達成時間 %	達成時間 %	達成時間 %
Mini Diary	Mini Diary	Mini Diary	Mini Diary

To-do list | やることリスト

- ☐
- ☐
- ☐
- ☐
- ☐

今週の集計

学習時間	学習量

今週の振り返り

今週の一言

week 11

月

今週の目標

Monday 日	Tuesday 日	Wednesday 日
4	4	4
5	5	5
6	6	6
7	7	7
8	8	8
9	9	9
10	10	10
11	11	11
12	12	12
13	13	13
14	14	14
15	15	15
16	16	16
17	17	17
18	18	18
19	19	19
20	20	20
21	21	21
22	22	22
23	23	23
24	24	24
1	1	1
目標時間 満足度	目標時間 満足度	目標時間 満足度
達成時間 %	達成時間 %	達成時間 %
Mini Diary	Mini Diary	Mini Diary

Thursday 日	Friday 日	Saturday 日	Sunday 日
4	4	4	4
5	5	5	5
6	6	6	6
7	7	7	7
8	8	8	8
9	9	9	9
10	10	10	10
11	11	11	11
12	12	12	12
13	13	13	13
14	14	14	14
15	15	15	15
16	16	16	16
17	17	17	17
18	18	18	18
19	19	19	19
20	20	20	20
21	21	21	21
22	22	22	22
23	23	23	23
24	24	24	24
1	1	1	1
目標時間 満足度	目標時間 満足度	目標時間 満足度	目標時間 満足度
達成時間 %	達成時間 %	達成時間 %	達成時間 %
Mini Diary	Mini Diary	Mini Diary	Mini Diary

To-do list | やることリスト

- ☐
- ☐
- ☐
- ☐
- ☐

今週の集計

学習時間	学習量

今週の振り返り

今週の一言

week **12**

月

今週の目標

Monday 日

4
5
6
7
8
9
10
11
12
13
14
15
16
17
18
19
20
21
22
23
24
1

目標時間 満足度
達成時間 %
Mini Diary

Tuesday 日

4
5
6
7
8
9
10
11
12
13
14
15
16
17
18
19
20
21
22
23
24
1

目標時間 満足度
達成時間 %
Mini Diary

Wednesday 日

4
5
6
7
8
9
10
11
12
13
14
15
16
17
18
19
20
21
22
23
24
1

目標時間 満足度
達成時間 %
Mini Diary

Thursday 日

4
5
6
7
8
9
10
11
12
13
14
15
16
17
18
19
20
21
22
23
24
1

目標時間 満足度
達成時間 %
Mini Diary

Friday 日

4
5
6
7
8
9
10
11
12
13
14
15
16
17
18
19
20
21
22
23
24
1

目標時間 満足度
達成時間 %
Mini Diary

Saturday 日

4
5
6
7
8
9
10
11
12
13
14
15
16
17
18
19
20
21
22
23
24
1

目標時間 満足度
達成時間 %
Mini Diary

Sunday 日

4
5
6
7
8
9
10
11
12
13
14
15
16
17
18
19
20
21
22
23
24
1

目標時間 満足度
達成時間 %
Mini Diary

To-do list | やることリスト

- ☐
- ☐
- ☐
- ☐
- ☐

今週の集計

学習時間	学習量

今週の振り返り

今週の一言

week **13**

月

今週の目標

Monday 日

4
5
6
7
8
9
10
11
12
13
14
15
16
17
18
19
20
21
22
23
24
1

目標時間	満足度
達成時間	%

Mini Diary

Tuesday 日

4
5
6
7
8
9
10
11
12
13
14
15
16
17
18
19
20
21
22
23
24
1

目標時間	満足度
達成時間	%

Mini Diary

Wednesday 日

4
5
6
7
8
9
10
11
12
13
14
15
16
17
18
19
20
21
22
23
24
1

目標時間	満足度
達成時間	%

Mini Diary

Thursday 日

4
5
6
7
8
9
10
11
12
13
14
15
16
17
18
19
20
21
22
23
24
1

目標時間	満足度
達成時間	%

Mini Diary

Friday 日

4
5
6
7
8
9
10
11
12
13
14
15
16
17
18
19
20
21
22
23
24
1

目標時間	満足度
達成時間	%

Mini Diary

Saturday 日

4
5
6
7
8
9
10
11
12
13
14
15
16
17
18
19
20
21
22
23
24
1

目標時間	満足度
達成時間	%

Mini Diary

Sunday 日

4
5
6
7
8
9
10
11
12
13
14
15
16
17
18
19
20
21
22
23
24
1

目標時間	満足度
達成時間	%

Mini Diary

To-do list | やることリスト

- ☐
- ☐
- ☐
- ☐
- ☐

今週の集計

学習時間	学習量

今週の振り返り

今週の一言

week 14

月

今週の目標

Monday 日	Tuesday 日	Wednesday 日
4	4	4
5	5	5
6	6	6
7	7	7
8	8	8
9	9	9
10	10	10
11	11	11
12	12	12
13	13	13
14	14	14
15	15	15
16	16	16
17	17	17
18	18	18
19	19	19
20	20	20
21	21	21
22	22	22
23	23	23
24	24	24
1	1	1
目標時間 満足度	目標時間 満足度	目標時間 満足度
達成時間 %	達成時間 %	達成時間 %
Mini Diary	Mini Diary	Mini Diary

Thursday 日	Friday 日	Saturday 日	Sunday 日
4	4	4	4
5	5	5	5
6	6	6	6
7	7	7	7
8	8	8	8
9	9	9	9
10	10	10	10
11	11	11	11
12	12	12	12
13	13	13	13
14	14	14	14
15	15	15	15
16	16	16	16
17	17	17	17
18	18	18	18
19	19	19	19
20	20	20	20
21	21	21	21
22	22	22	22
23	23	23	23
24	24	24	24
1	1	1	1
目標時間 満足度	目標時間 満足度	目標時間 満足度	目標時間 満足度
達成時間 %	達成時間 %	達成時間 %	達成時間 %
Mini Diary	Mini Diary	Mini Diary	Mini Diary

To-do list | やることリスト

- [ ]
- [ ]
- [ ]
- [ ]
- [ ]

今週の集計

学習時間	学習量

今週の振り返り

今週の一言

week **15**

月

今週の目標

Monday 日

4
5
6
7
8
9
10
11
12
13
14
15
16
17
18
19
20
21
22
23
24
1

目標時間	満足度
達成時間	%

Mini Diary

Tuesday 日

4
5
6
7
8
9
10
11
12
13
14
15
16
17
18
19
20
21
22
23
24
1

目標時間	満足度
達成時間	%

Mini Diary

Wednesday 日

4
5
6
7
8
9
10
11
12
13
14
15
16
17
18
19
20
21
22
23
24
1

目標時間	満足度
達成時間	%

Mini Diary

Thursday 日

4
5
6
7
8
9
10
11
12
13
14
15
16
17
18
19
20
21
22
23
24
1

目標時間	満足度
達成時間	%

Mini Diary

Friday 日

4
5
6
7
8
9
10
11
12
13
14
15
16
17
18
19
20
21
22
23
24
1

目標時間	満足度
達成時間	%

Mini Diary

Saturday 日

4
5
6
7
8
9
10
11
12
13
14
15
16
17
18
19
20
21
22
23
24
1

目標時間	満足度
達成時間	%

Mini Diary

Sunday 日

4
5
6
7
8
9
10
11
12
13
14
15
16
17
18
19
20
21
22
23
24
1

目標時間	満足度
達成時間	%

Mini Diary

To-do list | やることリスト

- ☐
- ☐
- ☐
- ☐
- ☐

今週の集計

学習時間	学習量

今週の振り返り

今週の一言

3か月を振り返って

自分への賛辞

おめでとうございます！『学習意識改革ノート』と共に3か月をやりきった自分を褒めましょう！

私のここがよかった！

-
-
-

目標の達成度

3か月の目標はどれくらい達成できた？

この3か月で成長・変化したこと

-
-
-

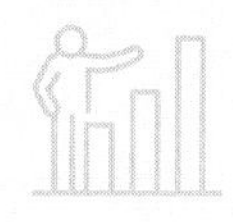

この3か月の学習を通しての感謝

感謝をしたい人、モノ、出来事などをリストアップしましょう。

-
-
-

やったことリスト

実行したこと、読んだ本、見た動画など

この3か月の中で、特に満足度が高かったベスト3はなんでしょうか?

参考文献

・青木直子(2013)『外国語学習アドバイジング―プロのアドバイスであなただけの学習プランをデザインする―』Kindle電子書籍.

・加藤聡子、山下尚子(関屋康監修)(2014)『英語学習手帳2015』神田外語大学出版局.

・加藤聡子、山下尚子(関屋康、ジョー・マイナード監修)(2021)『英語教師のための自律学習者育成ガイドブック』神田外語大学出版局.

・西田理恵子(2022)『動機づけ研究に基づく英語指導』大修館書店.

・文化庁(n.d.)「日本語ポートフォリオ」https://www.bunka.go.jp/seisaku/kokugo_nihongo/kyoiku/seikatsusha/h24_nihongo_program_a/a_53_1.html(2023年12月19日確認)

・前野隆司、前野マドカ(2022)『ウェルビーイング』日経文庫.

・Atkinson, R. (1998). *The life story interview.* Sage.

・Benson, P. (2011). *Teaching and researching autonomy in language learning.* Routledge.

・Berman, J. (2021). *The self-regulation workbook for kids: CBT exercises and coping strategies to help children handle anxiety, stress, and other strong emotions.* Ulysses Press.

・Brockbank, A. and McGill, I. (2006). *Facilitating reflective learning through mentoring and coaching.* Kogan Page.

・Gardner, D. and Miller, L. (1999). *Establishing self-access: From theory to practice.* Cambridge University Press.

・Hadfield, J. and Dörnyei, Z. (2013). *Motivating learning.* Routledge.

・Hussman, P. R. and O'Loughlin, V. D. (2019). Another nail in the coffin for the learning styles?: Disparities among undergraduate anatomy students' study strategies, class performance, and reported VARK learning styles. *Anatomical science education, 12/1,* 6-19.

・Kato, S. and J. Mynard. (2016). *Reflective dialogue: Advising in language learning.* Routledge. 加藤聡子、マイナード, J.(2022)『リフレクティブ・ダイアローグ―学習者オートノミーを育む言語学習アドバイジング―』大阪大学出版会.

・Mozzon-McPherson. M. (2012). The skills of counselling in advising: Language as a pedagogic tool. In J. Mynard and L. Carson (Eds.). *Advising in language learning: Dialogue, tools and context* (pp. 43–64). Routledge.

・Mercer, S. and Dörnyei, Z. (2020). *Engaging language learners in contemporary classrooms.* Cambridge University Press.

・Mynard, J. and Carson, L. (2012) *Advising in language learning: Dialogue, tools and context*. Routledge.

・Mynard, J. and Kato, S. (2022). Enhancing language learning beyond the classroom through advising. In H. Reinders, C. Lai, & P. Sundqvist (Eds.). *The Routledge handbook of language learning and teaching beyond the classroom*. Routledge.

- Oxford, R. L. (1990). *Language learning strategies: What every teacher should know.* Heinle & Heinle Publishers.
- Oxford, R. L. (2016). Toward a psychology of well-being for language learners: The 'EMPATHICS' vision. In P. D. MacIntyre, T. Gregersen & S. Mercer (Eds.). *Positive psychology in SLA* (pp. 10–88). Multilingual Matters.
- Rodgers, C. (2002). Defining reflection: Another look at John Dewey and reflective thinking. *Teachers college record,* 104(4), 842–866.
- Ryan, R. M. and Deci, E.L. (2017). *Self-determination theory: Basic pychological needs in motivation development and wellness.* Guilford Press.
- Ryan, S., and Mercer, S. (Eds.). (2015). Psychology and language learning (Special issue). *Studies in second language learning and teaching,* 5(2).
- Seligman M. E. P. (2011). *Flourish*. Free Press.
- Thornton, K. (2011). Learning strategy sheets: Supporting advisors and learners. *Studies in self-access learning journal,* 2(1), 43–47.
- Yamaguchi, A., Hasegawa, Y., Kato, S., Lammons, E., McCarthy, T., Morrison, B. R., Mynard, J., Navarro, D., Takahashi, K., & Thornton, K. (2012, 2019). Creative tools that facilitate the advising process. In C. Ludwig and J. Mynard (Eds.) *Autonomy in language learning: Advising in action* (pp. 115–136). Candlin & Mynard.
- Yamashita, H. and Kato, S. (2012). The Wheel of language learning: A tool to facilitate learner awareness, reflection and action. In J. Mynard & L. Carson (Eds.). *Advising in language learning: Dialogue, tools and context* (pp. 164–169). Pearson Education.

おわりに

学習に意識改革を起こすカギは「学習者の自律性（学習者オートノミー）の育成」です。このノートは、姉妹図書である『リフレクティブ・ダイアローグ―学習者オートノミーを育む言語学習アドバイジング』（Kato and Mynard, 2016; 義永, 加藤監訳, 2022）が提唱する「意識改革アドバイジング (transformational advising)」の理念と手法に基づいたものです。

前書は、「対話」を通して学習者の自律性を育成する手法を、学術的な理論や研究、そして具体的な対話例やツールを通して紹介した「教員向け」の書籍でした。読者の皆さまより、前著で紹介されているコンセプトを、学習者がすぐに使える形で提供してほしいというお声をいただき、続編となる本書『学習意識改革ノート』が誕生しました。このノートは、学習者の自律性を育成するための「8つの法則」と「31のワーク」が「3か月のプログラム」として構成された、学習者が学びの「試行錯誤」をするための、学習者が自分自身で書き込むノートです。好きなタイミングで個人で始めることも、授業やグループ学習で利用することもできます。また、様々な言語の学習に共通して活用できるものです。ぜひ、楽しみながら、「自分流」の使い方を探してみてください。

このノートの企画・執筆にあたり、それこそ多くの「試行錯誤」がありました。私達と何度も対話を重ね、共にこの本を生み出してくださった担当編集者の板東詩おり様をはじめとする大阪大学出版会の皆様、装丁を手がけてくださったデザイナーの成原亜美様、様々な意見をくださった書店の皆様に心よりの敬意と感謝を申し上げます。関連図書である『英語学習手帳』（加藤, 山下, 2014）のワークを応用することを承諾いただきました同書の共同著者である山下尚子先生にもお礼を申し上げます。また、前書『リフレクティブ・ダイアローグ』の共同著者であるジョー・マイナード先生、オートノミー研究の第一人者のお一人である故・青木直子先生、多くのインスピレーションを与えてくれたすべての学習者の皆様、同僚の先生方、私達を支えてくれた友人と家族にも、心より感謝をいたします。

多くの方々の想いを乗せたこのノートが、少しでも、皆様の外国語学習を実り多き、イキイキとしたものにするお手伝いができることを願っています。

2024年春

加藤聡子
義永美央子

著者紹介

加藤聡子(かとう・さとこ)

神田外語大学学習者オートノミー教育研究所特任准教授。米国コロンビア大学大学院修士課程修了(MA TESOL)、広島大学大学院教育学研究科博士課程後期修了(教育学博士)。学習者の自律性を育成する学習アドバイザーとしての累計セッション数は4,000件以上におよぶ。近年はアドバイザー養成プログラムの開発、教員教育に従事。著書に『英語教師のための 自律学習者育成ガイドブック』(神田外語大学出版局、2021年)などがある。

義永美央子(よしなが・みおこ)

大阪大学国際教育交流センター教授。大阪大学大学院言語文化研究科博士後期課程単位取得退学。博士(言語文化学)。大学・大学院留学生対象の日本語教育や、日本語教師研修などに携わっている。専門分野は応用言語学、日本語教育学。著書に『[改訂版]日本語教育の歩き方—初学者のための研究ガイド』(大阪大学出版会、2019年、共著)『日本語教育の新しい地図—専門知識を書き換える』(ひつじ書房、2021年、分担執筆)などがある。

学習意識改革ノート

外国語を自律的に学ぶための3か月プログラム

発行日　2024年3月28日　初版第1刷

著者　加藤聡子・義永美央子

発行所　大阪大学出版会
代表者　三成賢次
〒565-0871
大阪府吹田市山田丘2-7　大阪大学ウエストフロント
電話：06-6877-1614(直通)　FAX：06-6877-1617
URL　https://www.osaka-up.or.jp

ブックデザイン　成原亜美(成原デザイン事務所)
印刷・製本　株式会社シナノパブリッシングプレス

ISBN 978-4-87259-789-9　C0080